海外メディアは見た

不思議の国ニッポン

クーリエ・ジャポン 編

講談社現代新書

2651

はじめに

世界の視線がいっせいに日本に注がれた2021年の東京オリンピック・パラリンピック期間中、米紙「ニューヨーク・タイムズ」は日本人選手たちのある言動に着目し、こんな疑問を投げかけた。

「銀メダルを獲ったのに、なぜ日本の選手たちは謝るのか」

競技後の選手が「すみません」と頭を下げることは、多くの日本人にとっては見慣れた光景であり、特に違和感を覚えないかもしれない。準優勝も立派な結果だから胸を張ればいいのだが、申し訳ないという気持ちを抱く選手たちの胸中も理解できるだろう。だが、海外メディアの記者たちの目には奇妙に映るようだ。

ここで少し考えてみてほしい。先ほどの疑問をもし外国人からぶつけられたら、皆さんはどう説明するだろうか。

記事では選手たちの行為はこう説明される。

「世界で2番になったのに謝罪するというのは、成功の基準が驚くほど厳しいことを示している。だが自国で戦っている選手たちは、後悔の気持ちを表すことで無念、感謝、責任、謙遜が複雑に混ざり合った感情を表現することができるのだ」

この説明には納得する人も、また別の意見を持つ人もいるかもしれない。

さらに記者は、こうした謝罪は日本人に深く染みついたものだと意見を展開する。人の家に入るときも、まとまった休みを取るときも日本人は「すみません」と謝罪する。電車では1分の遅れですら、車掌がお詫びのアナウンスをする——。記者は「こうした謝罪は責任の表明というより慣習の問題なのだ」と考察している。

この記事を掲載したニューヨーク・タイムズは世界的に大きな影響力をもち、よく似た切り口の記事が他国のメディアに後追いで掲載されることも多い。日本をよく知らない外国人たちは、こうした記事から日本社会や日本人の考え方を認識するのだ。

クーリエ・ジャポンは2005年に創刊したとき、「世界は〝いまの日本〟をどう見て、どう伝えているのか」を編集方針の一つに掲げ、海外メディアの日本に関する報道を掲載しつづけてきた。刊行形態がウェブメディアに変わったいまも、その姿勢は変わっていない。海外の人と関わりあう機会が増えた現代社会において、外国人がどういった情報に触れ、日本を理解しているかを把握することが重要だからだ。さらに言えば、〝外国人記者の視点〟を通すことで初めて、日本の特異性について気づかされることも少なくない。

自国とは異なる文化に触れたとき、人は疑問を抱く。そのため、本書では外国人記者たちの多くの「なぜ?」を列挙している。

なぜ日本人の自殺率は高いのか？
なぜ日本人は働きすぎなのに生産性が低いのか？
なぜ日本ではポピュリズムが台頭しないのか？
なぜ日本人は電車で居眠りするのか？
なぜ日本人は義理チョコを贈るのか？

日本の美点が海外のメディアで紹介されると誇らしい気持ちになる一方で、批判が展開されると耳を塞ぎたくなることも、反論したくなることもある（苛立った読者の怒りがSNSで編集部に向けられることもある）。しかし、ただ腹を立てるのではなく、日本という国が、そして私たちにとって当たり前の事柄が外国人記者の目にどう映るのかを知るきっかけと思って、読み進めてほしい。

自己を相対化し、日本の文化や慣習について外国人目線で眺めてみること、自分なら記者の「なぜ？」にどう説明するだろうかと考えてみること。そういう意識で本書を読み終えたときには、きっと視野の広がりを感じているに違いない。

クーリエ・ジャポン編集部

目次

第4章　若者事情 —— 149

第1章　日本株式会社の不思議

会社にすべてをささげる サラリーマンはどこへ行く

THE FINANCIAL TIMES

サラリーマンの通勤風景（写真はイメージです。本文とは直接関係ありません。以下同）
Photo：Iain Masterton/Construction Photography/Avalon/Getty Images

«The curse of the salaryman»

THE FINANCIAL TIMES 16/5/3, Text by Leo Lewis

「ニッポンのリーマン文化と働き方改革の行方」

COURRIER JAPON 16/8/29

社畜が英雄だった時代

『実業之日本』5月号は、通勤途中のサラリーマンに打ってつけの情報満載だ。

低金利を批判する記事、有名CEOたちの紹介記事、オフィスライフを皮肉った記事、バズっているビジネス用語ガイド……。広告欄には、クラフトビール、ハイテクな時計、電動マッサージ機など、ストレスを抱えながらも肩で風切るホワイトカラー企業戦士たちにお薦めのグッズ……。

5月号といっても、じつは1936年5月の発行だ。サラリーマンは口ひげをたくわえるのがフォーマルで、ホッチキスが必殺ビジネスガジェットと宣伝されていた時代のものだ。

だがこの黄ばんだ頁には、すでに現代日本のサラリーマン像が見てとれる――世界に知られたワーカホリックで、集団思考的で、職責に追われる日本の典型としての、「彼」が。

彼はかれこれ100年ほど生きているが、その長寿は国難でしかない、と論ずる向きもある。

サラリーマン・イデオロギーは、高度経済成長期に役立ったものの、ゼロ成長に直面する現在の日本にとっては「もはや用なしだ」と千葉商科大学の島田晴雄学長（年齢、肩書は記事発表当時。以下同）は言う。

『実業之日本』の読者だけでなく、戦後の日本社会にとって、ホワイトカラー・サラリーマンは、輝かしく、不屈にして無敵の経済的英雄だった。

彼の忠実さ、労働力、愛社精神は、社会の主要な組織単位として会社を選んだ日本を特徴づけるものだった。日本における会社、社会、家族生活は一部始終、彼の労働倫理、必要経費、終身雇用という目標を中心にしてぐるぐるまわってきた。

男たちは彼になりたがった。女たちは彼と結婚したがった。バーは午前2時まで彼にウイスキーを注ぎたがった。野心的な会社は、彼のような人材を手当たりしだい欲しがった。

しかし2016年のいま、サラリーマンは自信を失い、リスクを恐れ、会社倒産のお知らせばかりを耳にしながら、資産から負債へと転落してしまった。

日本に残された唯一の希望は労働市場改革だと見る経済学者にとって、この事態はまったく油断できない国家的危機だ。

「オフィスで働く日本人男性の多くは、集団的思考や上意下達の発想にしばられています。それは、いまの日本経済に必要な独創的な発想やアクションと正反対の方向ではないでしょうか」と言うのは、中野晃一上智大学教授（政治学）だ。

安倍晋三首相は、自らが打ち出した成長政策「アベノミクス」の牽引力を少しでも長く伸ばそうと苦戦しており、２０１６年４月には、「日本の働き方を変えること」こそがアベノミクス最大の挑戦だと宣言した。

そして、その最大の障壁になりうるのがサラリーマンだ、と指摘する学者や経済アナリストもいる。この見方に同意するのは、意外にも当人たちだ。

「僕らはクリエイティブじゃないとは思います、職場でも家庭でも」

そう言うのは、小川さん、41歳独身の男性で、ある運送会社役員だ。新入社員２人を連れて池袋で飲んでいるところだった。

「経済をよくさせてもいないし、人口も増やしてないし。でもしょうがないです。この２人にはがんばってもらわないと……」

日本政府はＧＤＰのおよそ２５０％にものぼる借金を抱えている。加えて、日本はこの先10年で、１人の年金生活者を２人の労働者が支える高齢化社会を迎える。これらのマイナス要因を超えて日本経済が成長するには、イノベーション、労働生産性向上、リスク・キャピタル展開の促進、女性の昇進、構造改革が必要だ。

だが、「一つの会社に終身雇用されたサラリーマンは、そのいずれも達成しないどころか、抵抗さえするだろう」と専門家は言う。会社的本能に操られ、年功序列の昇進に逆らわない彼らが、ホワイトカラーの大半を占めているのだ。

日本がまずなにより必要としているのは、中途採用がしやすい流動的な労働市場だ、と島田は言う。サラリーマンは、自分の存在基盤が侵される、と危機感を抱き、そんなことが起こらないよう必死になるだろう。さらに島田は言う。

「アベノミクスの文脈だと、サラリーマンという考え方や慣習は非常に分が悪いです。40年前、日本の総生産性は世界最高水準でしたが、いまは非常に低い。それは、労働時間に対して賃金を払っているからです。

なにが問題かはわかっているのですが、この厳重な伝統から抜け出せないでいるのです。安倍首相は大きな抵抗を受けています。事実、目標に掲げたことの10分の1ほどしかできていません」

その犠牲の甲斐はあったか

サラリーマン批判はますます露骨になってきているが、その最たるものはサラリーマン自身から出てきている。その批判は2つに分けられる。

一つは年配世代からのものだ。彼らはリストラに次ぐリストラをどうにかくぐり抜けてきたが、家族をほったらかしにしてまでやってきた激務と残業の生活を振り返り、はたしてその甲斐はあったのだろうかと自問しはじめている。

もう一つは若手世代からのものだ。彼らは安定志向だが、サラリーマンの犠牲的生活はひどい時代錯誤だと思っている。

「就職活動をひととおりやり、サラリーマンにはなるつもりでしたが、まだ実感がありません。サラリーマン文化もだいたい知っていますが、そこでやっていけるかはわからないです」

小川の部下の一人が声をひそめて言う。ちょうど上司がトイレに行っているところだった。

だが、漫画家の本宮ひろ志ほど、サラリーマン文化に対して容赦ない批判をする者はいない。

彼の代表作『サラリーマン金太郎』は、通勤者に愛されつづけて20年になるヒーローだ。週刊で読むホワイトカラーの主人公の手柄話は、サラリーマンを称賛しているようにも見える。だが、本宮は言う。

「サラリーマンは奴隷だ。サラリーマン制がこの国を壊している。義務ばかりあって責任がない。内向きだ。守りを固めて、目立つ奴はつぶす」

彼は表立って言えないことを、漫画に描いているという。

企業スキャンダルや労働争議が噴出するにつれ、サラリーマン文化はますます世間の厳しい目にさらされている。最近の例にかぎっても、東芝で会計データ粉飾、三菱自動車で排気ガスデータ粉飾、旭化成で建材粉飾が発覚するなど、サラリーマン制の失墜がことさら露呈したばかりだ。

「サラリーマンの会社に対する歪(ゆが)んだ忠誠心、社内の権威に対する恐れによって、顧客だけでなく社会も代償を払わされています」と早稲田大学の原克(かつみ)教授は言う。彼はサラリーマンの歴史を研究している。

東京電力福島第一原子力発電所の爆発事故をうけて組織された国会事故調査委員会は、こう結論づけた。

「その根本的な原因は、日本文化に深く根づいた数々の慣習に見出すことができる。すなわち、私たちの条件反射的な従順さ、私たちの権威に疑念を抱くことへのためらい、私たちの『あらかじめ設定された通りにおこなうこと』へのこだわり、私たちの集団主義、そして私たちの島国根性。今回の事故に責任を負う立場に別の日本人が就いたとしても、結果は同じだったかもしれない」

この事故は、サラリーマンとサラリーマン官僚の手に自らの運命を委ねたこの国の悲劇的顚末(てんまつ)だったと見る人も多い。

戦士から羊へ

日本銀行ですら、消費者としてのサラリーマンへの信頼を失いつつある。

1990年代半ば以降、正社員の賃金はほとんど上がっていない。サラリーマンの牙城、経団連（日本経済団体連合会）に属する219社では、1995年から2015年まで、平均賃金が0・44％しか上がっていない。

新生銀行は、過去40年にわたってサラリーマンの毎月の「お小遣い」額を調べているが、2015年夏の調査結果では、過去33年間で最低レベルにあることがあきらかになった。

「『サラリーマンは終わった』との予想は、経済が急激に変動するたびに出てきます」と前出の原教授は言う。過去15年を振り返っただけでも、人々はサラリーマンの消滅、再生、再消滅を自信満々に宣言してきたという。

「独立精神と進取の気性をもったかつての戦士が、いまや羊になってしまった。その変わりかたこそが焦点です」

サラリーマンが闊歩する時代はとうに過ぎたとしても、彼らをみな追い払うことは難しいだろう。

安倍首相は、2016年5月にG7サミット、7月に参院選を控え、会社に対して生産性に基づいた賃金制を導入するよう促すだろう。

これはもしかしたら、日本の労働市場を変え、労働時間ではなく結果で評価する会社や社会へと変えていく動きとなるかもしれない。

現在の会社は、労働時間という評価基準でしか動けない、と日本女子大学教授の大沢真知子（労働経済学）は言う。社会の仕組みが、そのやり方を前提につくられてきたからだ。具体的には、女性は家庭を守るために働かないことが期待され、社員は会社の奴隷だということが受容されている。

「生産性ベースの賃金制は、サラリーマン文化と対立するものです。また、流動的な労働市場も同様です。サラリーマン自身もこの矛盾には気づいていますが、なすすべがないまま、うつになり、過労になります。

組織は、政府の政策にもかかわらず、サラリーマン根性を保持するでしょう。その呪縛から人々を解放できるのは、流動的な労働市場だけです」

安倍首相は２０１５年にもこの方策を試みたが、うまくいかなかった。今回も同様だろうと見る人は多い。労働組合や経団連は生産性ベースの賃金制に反対しているが、このタッグは難攻不落だ。

どんな改革を試みても、自分の居場所を確保しようとするサラリーマンが「粘土層」になるだろうと大沢教授は言う。そのべっとりとした地層が鋤にからみつき、改革を止めさせる。ここに世代的な問題がからみ、なおさらその層が固着化してしまったのだ。

第二次世界大戦後の焼け野原から立ち上がり、会社を興したベンチャー創業者たちは、すでに退職し、次世代の「サラリーマンCEO」たちに経営を委ねている。こうした役員たちはその会社でしか働いたことがなく、リスク回避だけは達人レベルの人ばかりだ。彼らはやり手の投資家でもなくイノベーションの推進者でもない、とアナリストたちは言う。

大沢教授は言う。

「ダイバーシティ、イノベーション、新しい発想について語る新しい会社は日本にもあります。ですが、その文脈でサラリーマンは逆行的な存在です。ただ命令に従い、新しい発想を提起することもない。ルールを運用しないことによる失敗を回避するためだけにルールを運用する。それらのルールにはなにか意味があり、影響があり、生産性があるかなどは一度も考えずに、です」

だが大沢教授も、わずかに楽観できるところがあると考えている。サラリーマン文化の衰退とともに、これまでずっと抑制されてきた女性労働力が進出してきているからだ。

長い低賃金の時代と安倍首相の唱道する「ウィメノミクス」気運は、日本が共働き社会に移り変わる前夜にあることを示している。そこに、すべてをささげるサラリーマン人生の余地はなく、日本社会は新しい基準を採り入れるだろうと大沢教授は言う。

本の裏表紙に金太郎を描き込む本宮氏は、腑に落ちない様子で言う。

「日本の未来がサラリーマンによる、サラリーマンのためのものだとすれば、待ち受けているのは危機ばかりでしょう」

働きすぎなのに
なぜ東京の生産性は低いのか

The GUARDIAN

遅くまで灯りの消えない東京のビル
Photo：Jacobo Zanella/Getty Images

«Which is the world's hardest-working city?»
The GUARDIAN 19/9/20, Text by Matthew Keegan
「世界で最も『働く都市』『働かない都市』はどこか？」

COURRIER JAPON 19/11/21

東京は世界一「働きすぎの都市」だと言われることが多いが、働き方をめぐる問題は時間外労働だけではない。英紙「ガーディアン」が詳細を追っていくと、メキシコシティやシンガポールも大きな問題を抱えていることがわかった——。

2013年7月、NHKの記者だった佐戸未和（当時31）が東京のアパートで亡くなっているのが見つかった。死因は心不全だった。のちに、亡くなる直前の月の彼女の残業時間は159時間37分だったことが明らかになり、過労死と認定された。

日本での過労死の最初のケースは1969年にさかのぼる。政府のデータによれば、2017年には過労死が190件起きた。

生産性がG7で最低な日本

2019年初め、日本政府は時間外労働の上限を1ヵ月に45時間、1年につき6ヵ月以内の繁忙期には100時間と設定した。しかし、このことで日本の「働きすぎ文化」に歯止めがかかるかどうかについては疑問が残る。テンプル大学ジャパンのアジア研究ディレクターであるジェフ・キングストンは、こう話す。

「(日本の) 労働者には、『長時間働くことによって自分の頑張りを示す』という圧力がかかりかかっています。このサムライ的な労働倫理が浸透している限り、楽観視することは難しいでしょう」

米警備保障会社のキシの調査によると、国際的な40都市のなかで東京の人が最も「働きすぎ」だという。ワークライフバランスの比較指標によると、東京に住む人たちの週の労働時間は平均42時間で、始業時刻の平均はほかの都市と比べて最も早い8時57分だった。

とはいえ、長い労働時間で知られているわりに日本の生産性レベルは比較的低い。OECD (経済協力開発機構) の最新データによると、一人当たりのGDPを労働時間で割って算出した生産性において、日本はG7のなかで最低だった。ちなみに、米国の生産性は日本より約59%高い。

最も生産性が高い国は?

一方、スイスのUBS銀行による都市別の年次報告によると、「世界一長時間労働をする都市」と言えるのはインドのムンバイだった。労働者一人当たりの年間平均労働時間は、3315時間で最長だ。

それと対照的なのがナイジェリアの大都市ラゴスで、労働者は平均で年間609時間しか働かない。UBSがランク付けした77都市のなかで、東京は32位の1997時間で、2022時間のロンドンや2046時間のニューヨークより少なかった。

しかし、長時間労働は必ずしも高い生産性を意味しない。UBSによると、メキシコシティの人々は年間で平均2622時間働いており、これは世界第3位の長さである。だが、メキシコはOECD（経済協力開発機構）の調査対象である38ヵ国の中で最も生産性が低く、GDPにおいて1時間当たりの労働で18・8ドル（約2000円）しか稼いでいない。

一方、最も生産性が高いアイルランドは、1時間当たり84ドルを稼ぎ出している。アイルランドの首都ダブリンの平均労働時間は年間1856時間と、メキシコシティの労働者よりかなり少ない。

長時間働くほど問題解決力は失われる

少ない労働時間が生産性によい影響を及ぼすという証拠があるにもかかわらず、「働きすぎ」は多くの都市でいまだに悩みの種である。

英国公認人材開発協会が2019年に5136人を調査したところ、イギリスの労働者の4人に1人が週に10時間以上残業していた。また、3人に1人が自分の業務が多すぎると感じており、５人に１人は割り当てられた時間内に自分の業務をこなすことができないと思っていた。

ベッドフォードシャー大学の教授で企業内心理学を専門とするゲイル・キンマンは、こう話す。

「労働者の多くは、長時間働いたからといって優れた業績を残せるわけではない、という事実を受け入れようとしません。実際にはその反対です。長時間働くほど集中力や記憶力は下がり、問題解決力や創造性は失われます」

キンマン教授はまた、長時間労働が慢性化することによって休んでも充分回復できなくなり、健康に大きく影響すると警告している。

最もストレスレベルが高い都市は？

キシ社の調査によると、１週間に48時間以上働く人の割合が最も高いのはシンガポールだ。同社のＣＥＯバーナード・メールはこう述べる。

「シンガポールは一般的にとても住みやすい都市だと思われていますが、住民のストレスレベルが最も高いことがわかりました」

では、よりよいワークライフバランスはどのようにして確立できるのだろうか？

この調査の発表後、メールＣＥＯはいくつもの都市を訪れ、改善のために何ができるかを把握しようとした。彼は、シンガポールのケースに対し、メンタルヘルス関連のプログラムを提案している。

一方、キンマン教授は精神的にも身体的にも健康でいるため、また幸せで満ち足りた生活を送るためには、仕事からの切り替えが何より重要だとアドバイスする。

「長期休暇や短期休暇を前もって計画しましょう。マインドフルネスを活用して頭を休めましょう。自分を思いやって優先的にケアしてあげるのです」

なぜ日本人は銀メダルでも謝罪するのか

The New York Times

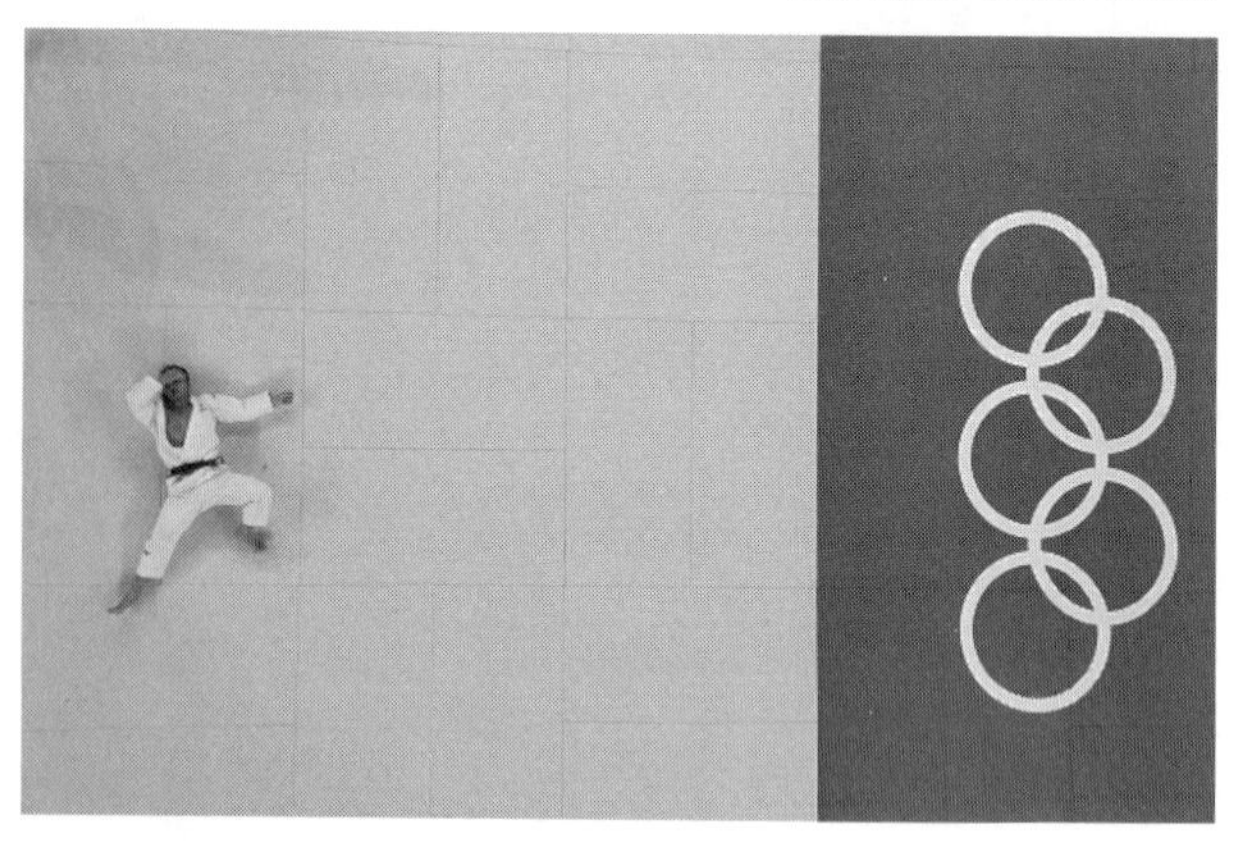

柔道混合団体でフランスに敗れた日本
Photo：Harry How/Getty Images

«Second Best in the World, but Still Saying Sorry»
The New York Times 21/8/5, Text by Motoko Rich
「『なぜ日本人は銀メダルでも謝罪するのか』と米紙が首をかしげる」

COURRIER JAPON 21/8/16

日本で東京五輪の取材をしていた米紙「ニューヨーク・タイムズ」がある疑問を投げかけている。「金メダルを獲得できなかった日本人選手が謝罪をしている。銀メダルを獲得した選手ですら謝っているのはなぜか」というものだ。

「皆に申し訳ない」

文田健一郎(25)は涙に声をつまらせた。

「こんな状況で大会を運営してくれたボランティア、関係者の方に勝って恩返しをしたかった」

レスリング男子グレコローマンスタイルの選手、文田はオリンピックの決勝戦を終えたあと、涙ながらに語った。

「不甲斐ない結果に終わってしまって本当に申し訳ないです」

頭を激しく上下させながら彼は言った。文田は銀メダルを獲ったばかりだった。

東京オリンピックでおなじみになり、そしてしばしば胸を痛ませたのが、多くの日本人が競技後のインタビューで涙を流し、金メダルを獲れなかったことを謝罪するという光景だ。文田のようにメダルを獲った選手でも自分のチームとサポーター、そして国を失望させたことを悔やんだ。

柔道の混合団体で日本がフランスに敗れ、銀メダルを獲得した後にも向翔一郎（25）が謝罪した。

「もう少し我慢しなきゃいけなかったのかな。みんなに申し訳ない気持ちです」。そう向は言った。

世界で2番になったのに謝罪するというのは、成功の基準が驚くほど厳しいことを示している。だが自国で戦っている選手たちは、後悔の気持ちを表すことで無念、感謝、責任、謙遜が複雑に混ざり合った感情を表現することができるのだ。

「銀メダルしか獲れなかったことを謝罪しなければ批判されるでしょう」。スポーツを専門とする弁護士で日本の選手組合を代表する山崎卓也は言う。

日本のアスリートは若い頃から「自分のために競技をしていると考えてはならないと教えられる」と山崎は言う。「特に子供時代には大人や先生、親、その他年長の人間の期待があります。ですから、これは根深い考え方なのです」。

アスリートにかけられる期待はコロナウイルスのパンデミックによって大きくなった。パンデミックのせいでオリンピックは大会が始まる前から日本人にとって非常に不人気となっていた。日本で感染者数が増えていることに対する不安が大きくなるなかで大会を開催したことを正当化するためにも、メダルを獲得しなければならないというプレッシャーをより強く感じている選手も多かっただろう。メダルを獲得できなかったアスリートは後悔をあらわにした。

「自分にあきれた感じがしました」。スポーツクライミング選手の原田海（かい）（22）は決勝進出を逃した後のインタビューのなかで激しく目をぬぐいながら言った。

鉄棒で6位に終わった体操選手の北園丈琉（たける）（18）はサポーターについて話すとき、涙をこらえた。

「演技で恩返ししたかったけど、それができなかった」と彼は言った。

テニス女子シングルスの3回戦で敗退した後に発表したコメントのなかで、大坂なおみ（23）は日本代表として戦えたことを誇りに思うと述べる一方で、「皆様の期待に応えることができずにごめんなさい」と付け加えている。

日本の独特の謝罪文化

ある意味でこうしたアスリートたちは、日本文化ではありふれた社交辞令としての謝罪を大げさに述べてきたと言える。

人の家に入るときに訪問客は「すみません」と言う。従業員は休暇に入るときに負担をかける同僚に謝罪する。他方で車掌は電車が1分遅れた、あるいは数秒早く着いたことで深謝する。一般的に、こうした謝罪は責任の表明というより慣習の問題なのだ。

謝罪の言葉が虚しく響くこともある。スキャンダルや汚職に対して謝罪するために組織のトップや政治家がニュースのカメラに向かって深々と頭を下げることも頻繁にある。たいてい結果は伴わない。

東京オリンピック組織委員会の前会長・森喜朗は性差別的な発言をした後、辞任を避けるために当初そうした謝罪をしようとした。だが大々的なソーシャルメディアのキャンペーンによって彼は辞任を余儀なくされた。

日本文化の研究者は、勝ったときでもアスリートが謝罪するのは子供の頃から培われた本能からくるものだと言う。

「アメリカ人は失敗したときでもいいところを探すのがうまい」とミシガン大学の社会心理学者、北山忍は言う。一方、日本では「成功しても謝罪しなければならない」と彼は語る。

謝罪はまた暗黙の感謝の表現として認識されている可能性が高いと、人類学者で『日本社会を理解する』（未邦訳）の著者ジョイ・ヘンドリーは言う。

自分を指導してくれた人たちや経済的に支援してくれた人たちのために「最善を尽くせなかったことに対して日本人は謝罪をしなければならないと感じるのではないでしょうか」と、ヘンドリーは言う。

レスリング選手の文田はまた有名なレスリングコーチである自分の父親を喜ばせなければならないというプレッシャーを感じていたのかもしれない。ＮＨＫのインタビューのなかで、文田は銀メダルを獲った後、父親からの電話に出ることができなかったと語っている。

「父から電話があったのですが出られなくて。何と父と話していいのか、わからなくなってしまって」

また日本国民がメダルの数以外にオリンピック開催国としての利得を享受できていないことをアスリートたちは知っている。観客は競技場に入ることを認められていないからだ。

男子サッカー準決勝の日本対スペイン戦が行われていた埼玉のほぼ空のスタジアムでも、観客の不在は明らかだった。６万４０００席近くが空席のなか、拡声器があらかじめ録音された歓声や拍手の音をフィールドに向かって鳴らしていた。

日本が延長後半の最後の数分で失点して負けた後で、ミッドフィルダーの相馬勇紀

（24）はその場にかけつけることができなかった人たちに向けて謝意を述べた。「絶対にメダルという結果を持って、日本のみんなに元気を与えて、笑顔にできるようにしていきたい」。試合後の会見でそう語ったとき、彼の目は下を向いていた。

謝る必要などない

もちろん、金メダルを獲れずに深い失望を表すのは日本のオリンピアンだけではない。中国の廖秋雲（リャオ・チウユン）（26）は女子ウエイトリフティングで銀メダルを獲った後、人目もはばからず泣いた。アメリカの女子サッカーチームが準決勝でカナダに敗れた後、メンバーの一人カーリー・ロイド（39）はフィールドにしゃがみ込み両手で顔を覆った。

しかし、試合後のインタビューで彼女は謝罪をしなかった。「私たちは本当にたくさんのことを諦めています。ただただ残念です」とロイドは言った。「勝ちたいと思うのは当然です」。

シモーネ・バイルズ（24）は体操の女子団体と個人総合を棄権したとき、自分自身のメンタルヘルスを守りたかったと説明した。

謝罪をしたいという衝動は、ひとつには日本の一部のスポーツに見られる厳しい指導スタイルからくるものだと、立教大学でスポーツマネジメントならびにスポーツウェルネスを専門とするカトリン・ユミコ・ライトナー准教授は言う。彼女が柔道の練習をしに初めて来日したとき、コーチの攻撃的な言葉遣いに衝撃を受けたと言う。

「そんなやり方でしかオリンピックチャンピオンになれないなら、オリンピックチャンピオンにはなりたくないと思いました。彼らはアスリートを人として扱っていませんでした」

日本のアスリートのなかには謙虚さを欠いているとして大衆の批判にさらされてきた者がいる。1992年のバルセロナ五輪で銀メダル、1996年のアトランタ五輪で銅メダルを獲得したマラソン選手の有森裕子は、アトランタ五輪で「自分で自分をほめたい」と言った後、日本のニュースメディアの一部からナルシストとの批判を受けた。

有森はなぜアスリートが謝罪をしつづけるのかを知っている。感謝の気持ちを伝えることができるからだ。

しかし「サポーターはアスリートが充分に努力をしてきたことを知っていると思います」と有森は言う。「だから謝罪をする必要などないのです」。

なぜ日本の政界は 世襲政治家が多いのか

The Washington Post

21年10月に発足した岸田内閣

Photo：David Mareuil/Anadolu Agency/Getty Images

«Japan's new prime minister is a third-generation politician. That's more common than you might think»

The Washington Post 21/10/6, Text by Daniel M. Smith

「米研究者が分析『なぜ日本の政界はこれほどまでに世襲政治家が多いのか』」

COURRIER JAPON 21/10/11

「3世議員」の岸田文雄新首相も含めて、21年10月に発足した岸田内閣の57%はいわゆる世襲政治家が占めている。どうして一握りの一族が日本のリーダーになることが多いのか。諸外国の事情も含めて、コロンビア大学の日本政治の研究者が米紙「ワシントン・ポスト」で分析している。

2021年10月4日、日本の衆議院は岸田文雄を第100代首相に選出した。岸田は、1955年以来、4年を除いて日本を統治してきた自由民主党の「再生」を公約に掲げた。しかし、日本の政治の皮肉なところは、自民党の「世代交代」はしばしば退任する政治家の息子や孫などの親族が後任になることを意味することだ。岸田はその典型で、父と祖父も議員だった。なぜ岸田ファミリーのような一族が日本の政治のリーダーシップを支配しているのだろう？

政治は「家業」

岸田は9月29日に行われた自民党総裁選で、党内の保守派の支持を得て、決選投票で河野太郎を破り、首相に就任した。

10月31日に行われるであろう総選挙を前に、岸田にはこの役割に慣れるための数週間が与えられている。この夏、自民党は新型コロナウイルスによるパンデミックへの対応で支持を失っていたため、総選挙は岸田のリーダーシップにとって大きな試練となるだろう。

総裁選の後、岸田は自民党員に「私たちは『生まれ変わった自民党』をしっかりと国民に示さなければなりません」と語った。何年ものあいだ役職を務めた麻生太郎前財務相（81）や二階俊博前幹事長（82）のような80代の政治家が退任するなか、岸田が選んだ党と内閣の幹部ポストは、世代交代の一つのシグナルとなっている。岸田が任命した20人の閣僚のうち、13人（65％）が初入閣だ。

しかし、多くの新顔には馴染みのある名前が並んでいる。たとえば、鈴木俊一新財務相は、鈴木善幸元首相の息子であり、ポストを義兄から引き継いだ。岸田を含め、新閣僚のうち9人は国政レベルの政治家と親戚関係にあり、他の3人は地方政界に親戚がいるか、その後を追って就任している。つまり、内閣の57％にとって政治は家業なのだ。

これは、自民党の内閣では珍しいことではない。近年、自民党議員の約3分の1が世襲議員だったが、これらの議員が全閣僚の6割を占めることもあった。また、宮沢喜一（1991～93年）以降、自民党の12人の総裁のうち、2人を除いてすべてが世襲議員。例外は、森喜朗（それでも地方政界に一族がいた）と岸田の前任者の菅義偉だ。

一握りの一族に権力集中

権力の継承というと、権威主義的な体制や独裁国家の特徴だと思われがちだ。北朝鮮の金正恩（キムジョンウン）、シリアのバッシャール・アル＝アサド大統領、チャドのマハマト・デビなどはその一例だ。しかし、日本のような民主主義国家で、少数の一族にこれほどまでに権力が集中していることのほうが驚きだ。

自民党内に世襲議員が多いのは、１９４７年から１９９３年まで衆議院の選挙制度が中選挙区制だったからだと学者は言う。自民党が過半数の議席を獲得するためには、選挙区ごとに複数の候補者を擁立する必要があり、党内の競争と「超属人的」な選挙戦が展開された。こうした状況のなかで、候補者の募集に携わる党幹部は、世襲候補者の知名度や、受け継いだ資源を求めた。

日本は１９９４年、米国、カナダ、英国と同様に、主に１人区をベースとした新しい制度を採用した。この制度は、党内競争を排除して政党を強化し、知名度の重要性を低下させた。その結果、自民党における世襲議員の割合は減少した。１９９０年代初頭には新人候補者の約半数を占めていたが、近年では約10％となり、米国や他の民主主義国と同様の割合になっている。

日本の指導者に世襲議員が多いのは、この変化のタイムラグを反映している部分もある。現在の党首の多くは、この大きな変化の前である1990年代初頭に初当選している。たとえば、岸田の初当選は1993年、鈴木俊一は1990年だ。若手議員では、世襲との関係は稀になっているものの、現在でもこれらの世襲議員が党幹部のかなりの割合を占めている。

世界のリーダーにも世襲が

日本の状況は年功序列で説明されるが、それだけではない。世襲系のリーダーシップは世界各地でもよくある。ファリダ・ジャラルザイとメグ・リンカーが収集したデータによると、2000年から2017年の間に世界で誕生した大統領と首相のうち、およそ12%が世襲系だった。

その数は地域によって異なり、最も割合が低いのはヨーロッパ（8%）、次いでサハラ以南のアフリカ（9%）、アジア（9%）、ラテンアメリカ（13%）となっている。北米では、ジョージ・W・ブッシュ元大統領とカナダのジャスティン・トルドー首相の計8人中2人（25%）が世襲系だった。一般的な女性議員と同様、世襲ルートは女性リーダーに特に多く見られる。

最近の論文で、シェーン・マーティンと私は、このパターンを、選挙での優位性や年功序列といった要因を超えて、理論的に説明することを提案した。世襲政治家が高い地位に就くために有利なのは、2つのメカニズムがあると我々は考えている。一つは、政治家一族の一員であることの情報的優位性による「直接的」な効果だ。これはたとえば、党首に自身の資質をどう伝えるかを知っているということだ。また、単純に選挙での強さや年功序列によって作用する「間接的」な効果もある。

我々はアイルランドのデータを用いて、すでに閣僚を経験したことがある一族の一員の政治家は昇進に有利であること、この有利性は選挙での強さや年功序列に単に起因するものではないと示した。

オーストラリア、カナダ、ドイツ、ノルウェー、日本でも同じパターンが観察された。これらの一族の政治家が高い資質や能力を有しているという確固たる証拠はない。むしろ、ネットワークや党内の人脈が後押しする役割を果たしているようだ。

今回の調査から得られた教訓は、岸田が本当に自民党の再生を目指すのであれば、世襲系が少ない若手メンバーに向けて、党内の情報、社交、影響力のルートにアクセスする機会を増やし続けることが一つの方法であるということだ。

“ファックス”をやめられない理由
——ハイテク国の不思議な二面性

The Washington Post

ファックスという伝統

Photo：Donna Ikkanda/Getty Images

«Japan wants to shred its paper habit. Could it finally leave the fax behind?»

The Washington Post 20/10/17, Text by Simon Denyer

「ニッポンはなぜ“ファックス”をやめられないのか？」

COURRIER JAPON 20/11/8

コロナ禍において、海外から不思議がられた日本の〝伝統〟が、ハンコ、そしてファックスだ。20年4月、PCR検査が進まない理由のひとつとして、保健所とのやりとりがファックスだからではないかと日本国内でも多くのメディアが取り上げた。

欧米メディアは、コロナがついにこの〝伝統〟を打ち破るのではないかと興味津々だ。米紙「ワシントン・ポスト」が伝える。

デジタル敗戦

新型コロナウイルス大流行の最中、ある医師にはこれ以上は耐えられない、ということがあった。患者のことではない。日本のお役所仕事だ。

医師は、感染症例が発生するたびに、医療従事者が手書きで長文の報告書をまとめ、保健所にファックスしていると訴えた。「もう止めようよ……。手書きの発生届……。」と記したツイートは、広くシェアされた。「コロナも手書きでFAX……。」

紙とファックスに救いがないほど頼りきっているようにも見える日本の行政も、このシステムが機能していないと気づきはじめた。医者は書類仕事に追われ、保健所はファックスに溺れている。1980年代には驚異のデータ送受信法だったファックスだが、今では懐かしの遺物だ。

新型コロナウイルスの症例が発見されてから報告されるまでには、最大で3日かかっていたと当局の職員は認めた。

このシステムは「全国的な感染拡大状況のリアルタイムでの把握を困難にし、保健所職員を疲弊させた」と、民間の専門家グループは、日本の新型コロナウイルス対応に関する新しい報告書で結論づけている。「新型コロナウイルス危機は、日本の『デジタル敗戦』でもあった」。

日本は、何十年も前にワクワクするハイテクの未来へと突き進んでいたが、1990年代に景気後退に転じたときに突然その歩みを止めてしまい、置き去りにされた遺跡のように古い技術が残る島々のようでもある（とはいえ、懐かしさを重んじる精神もちょっとある。ファックスの絵文字が残っているのだ）。

ハイテクと過去、二つの日本

新幹線や人型ロボットで知られる日本がある。印刷された文書、稼働するファックス、そしていまだに経済の大部分は現金頼みという日本もある。日本の官僚機構には、少なくとも片足は過去に踏み入れたままで、昔からあるやり方で物事を進めたいという願望が深く根づいている。

そのため、政府が2020年、コンピュータによる新型コロナウイルス症例のデジタル報告システムに切り替えようとしたとき、その試みはすぐさま暗礁に乗り上げた。多くの病院や保健所にとって、ファックス廃止とオンライン報告への移行は不可能だったか、不本意だった。

菅義偉首相は、これらを変革したいと考えている。菅首相は、役所仕事のデジタル化、ひいては日本社会全体のデジタル化を新政権の最重要課題として掲げており、デジタル庁の新設を目指している。

河野太郎行政改革担当相は、ファックスをやめ、ペーパーレス化を促進し、公文書に署名の代わりに必要とされる「ハンコ」（中国では「チョップ」と呼ばれる）を廃止する新しいキャンペーンを始めようとしている。

新型コロナウイルス危機は、新しいキャンペーンの主な立ち上げ理由ではなかったかもしれないが、改革の緊急性を強調しており、長年の懸案だった硬直した労働慣行の変化の推進にすでに役立っている。

日本のアナログ文化は、パンデミックの間、在宅勤務の大きな障壁となっていた。ある調査によると、60%以上の従業員が、紙書類の確認やハンコをもらうためだけに出社しなければならないことを不満に思っていたという。

手書き重視の文化

河野にとっての第一歩は、何世紀にもわたって受け継がれてきた押印文化への挑戦だ。この個人名が彫られた小さなスタンプは、銀行口座の開設から雇用契約の締結まで、さまざまな書類で使われているのだ。

「正直なところ、実際に紙に印刷してファックスする必要のある行政手続きはあまりないと思う」と、河野は就任直後の記者会見で語った。

「なぜ紙に印刷する必要があるのか？　多くの場合、それは単にハンコが必要だからだ」と続け「そのような文化に歯止めをかけることができれば、自然と次のステップに移行し、紙資料やファックスが不要になるのではないか」と語った。

4月下旬、影響力のある経済団体・経団連の中西宏明会長はさらに率直に、電子署名の導入を主張した。

「ハンコはナンセンスだ。ハンコは美術品として残せばいい」と、中西は語った。

しかし、問題の大きさは過小評価されるべきではない。

日本総合研究所の調査によると、政府が関与する5万5000件の行政手続きのうち、完全にオンラインで完結できるのは約4000件、約7・5％にすぎない。河野は、ハンコを必要とする1万5000件の手続きのうち、99％以上を排除することを目指している。

しかし、河野はハンコメーカーやメーカーに同情的な与党自民党議員の反対に直面しており、政府の行動を「拙速で行き過ぎ」とする要請書には、党の有力者・二階俊博幹事長も賛同している。

河野は、あるハンコ業界団体との会合を終えた後、「ハンコ文化」が好きで、振興に協力したいが、行政手続きからは切り離したいと語った。

ファックスも簡単にはなくならないだろう。日本でファックスが流行したのは1980年代だが、手書きの文字に対する文化的な畏敬の念と、3種類の文字を何千字も使う複雑な書き言葉の存在が背景にある。

世代交代まで待つしかない？

日本経済を支配しているのは、大企業ではなく中小企業だ。多くの企業はいまだにファックスでの注文を要求している。

テキサスA&M大学の教授であり、ファックスの歴史の著者でもあるジョナサン・クーパースミスは「書くことの主な方法は手書き。これはぴったりのテクノロジーだ」と述べる。「まだ存在する理由の一つは、コンピュータを使いたがらない古い世代と、コンピュータを導入したことがなく、その必要がなかった多くの中小企業があることだ」。

ファックスの売り上げは米国では減少しているが、２０１９年に日本では６％近く伸びた。政府の調査によると、全世帯の３分の１がまだファックスを所有しているという。

クーパースミスは、政府が完全に目的を達成するには、上の世代が引退するか、亡くなるかするまで待たなければならないかもしれない、という。

しかし、三菱ケミカルホールディングス会長で元経済同友会代表幹事の小林喜光は、日本が変わるには時に大きな外圧が必要であり、不運ではあるがパンデミックがもたらした機会を無駄にしてはならないと述べる。

「パンデミックが日本に与えたマイナスのダメージは、むしろ強力な推進力になった」と、小林は会見で話した。

「この機会を逃せば、次はないだろう」

日本の会社員を縛る
義理チョコはなぜなくならないか

THE FINANCIAL TIMES

日本のバレンタイン商戦

Photo：Chris McGrath/Getty Images

«Bittersweet campaign to liberate Japan's office workers»

THE FINANCIAL TIMES 18/2/7, Text by Leo Lewis

「英経済紙が“義理チョコ文化”に物申す！『だから日本企業の生産性は低いし、マタハラや過労死が起きるのだ』」

COURRIER JAPON 18/2/14

義理チョコは日本の会社員を縛る、数ある〝しがらみ〟のひとつ――英紙「フィナンシャル・タイムズ」が日本のバレンタインデーを深読み。

安倍晋三首相から企業のトップに至るまで、最近の日本では「働き方改革」が声高に叫ばれ、さまざまな取り組みが提唱されているが、どれもこれも期待を裏切る結果に終わっている。

いまや、ベルギーのチョコレートメーカーが頼みの綱なのかもしれない。

日本の企業文化に変革をもたらすべく、チョコレートメーカーのゴディバが矛先を向けたのはバレンタインデーだった。厳密に言うと、この国の職場で長年続いている「義理チョコ」の慣習だ。

日本の働く女性たちは、毎年2月14日になると、チョコレートを買って同僚の男性社員に(たいてい作り笑いを浮かべながら)公平に配らなくてはならない、という〝義務〟を感じている。

そして、チョコレートをもらった男性たちはひと月後に、その〝厚意〟に対するお返しをしなければならない。お返しのチョコレートの相場は、もらったチョコレートの値段のおよそ倍というのがしきたりらしい。

この巧みな「演出」には、感心させられると同時に、そら恐ろしい気持ちにもさせられる。やむを得ず義理チョコを買い、それに上乗せしてお返しせざるを得ない――そこには、日本の会社員特有の集団心理が読み取れる。

職場の暗黙のルールから外れることへの不安と、全員に何がしかの物を買うことで公平な人間と思われたいという承認欲求だ。

「横並び」から外れる恐怖

以前、筆者の女友だちのひとりが、慌てふためいた体験を話してくれたことがある。ある年のバレンタインデー前日の2月13日。彼女は女性の同僚たちと「厳粛な協定」を結んだ。「明日はチョコなんて配らない。手ぶらで出社しよう」と。

ところが、翌朝、会社へ行くと、仲間のひとりが鮮やかな裏切りを見せていた。そのせいで、ほかの者たちは慌てて近くの店まで買い出しに走ったという。

義理チョコはくだらない慣習で、カネもかかり面倒くさい。にもかかわらず、「みんなと同じ」でないことへの恐怖から、長年やめられずにいるのだ。

この「横並び」から外れることへの恐怖心は、まさに日本のホワイトカラーの生産性を長年停滞に陥れてきたのと同じメカニズムである。

だが、いまこそ、そんな慣習を捨てる絶好の機会かもしれない。

18年2月1日、ゴディバの日本法人は「日本経済新聞」(企業の管理職に広く読まれていることから選ばれた)に画期的な全面広告「日本は、義理チョコをやめよう。」を掲載。義理チョコに心を縛られるのは終わりにしようと呼びかけた。

ゴディバジャパンのジェローム・シュシャン社長の署名入りで掲載された広告のメッセージは次のようなものだ。

「バレンタインデーが幸運にも週末と重なる年には、日本中の企業にホッと安堵感が広がります。もちろん、大切な人にはぜひチョコレートを贈ってもらいたいけれど、いまの時代にもう義理チョコはいらないでしょう。

バレンタインデーは、社内の人間関係を円滑にするために何か特別なことをしなくては、なんて考えさせられる日ではありません。だから男性の皆さん、とりわけ会社のトップの方々、女性たちを義理チョコの義務から解放してあげてください」

マタハラや過労死がなくならない理由

ゴディバははっきりとは述べていないが、義理チョコの落とす影は、日本の職場を覆う、もっと深い闇の一部にすぎない。

仲間からの同調圧力や因習がはびこるのは、なにも日本のホワイトカラーの職場に限られた話ではない。だが、毎年悩みの種となる義理チョコを見ていると、それがいかに根深くて変えることが難しいかを痛感させられる。

義理チョコは、口には出されないが、みんながそうしなければならないと感じている「しがらみ」のひとつだ。そうしたしがらみは、最悪の場合、妊娠中や幼い子供を抱えた女性社員に対する職場のいじめ「マタニティ・ハラスメント」や、過労死の原因となる。

たとえば、残業体質を改めるためのアイディアがあっても、変化に抵抗するよう刷り込まれた職場の慣習に阻まれて、結局は実現しない。

2017年、経済産業省は「プレミアムフライデー」を制定して、毎月最終週の金曜日の仕事を午後3時に終わらせようとした。この計画が発表されるやいなや、さまざまな企業や業界団体が免除を願い出ようと列をなした。

だが、そんな必要などなかったのだ。義理チョコの背景にあるのと同じ義務感と不安から、プレミアムフライデーに対する賛同は得られなかったのだから。

ゴディバの意見表明は、あくまでマーケティングの一環として自社の利益にかなったものであるが、日本の義理チョコ文化に一石を投じたとも言える。

しかし、たとえ会社のトップから「義理チョコをやめるように」とお達しが出たとしても、それは無視され、この国はその〝ビタースイートな伝統〟を守り続けていくのだろう。

「居眠り」は勤勉の証!?
——オフィスで、電車で、どこでも眠る日本人

The New York Times

駅のベンチでの居眠り

Photo：Prisma by Dukas/Universal Images Group/Getty Images

«Napping in Public? In Japan, That's a Sign of Diligence»
The New York Times 16/12/16, Text by Bryant Rousseau
「『居眠り』は勤勉の証!?　——オフィスで、電車で、道端で、眠ることにいそしむ日本人」

COURRIER JAPON 17/2/8

会議中、人が話しているのに目を閉じているお偉いさん、わずかな昼休みの間に公園でうとうとするサラリーマン、カフェのテーブルにテキストを広げて突っ伏す大学生……日本人はどこでも眠る。しかも、その行為は周囲から評価されるらしい。

日本に浸透する「居眠り文化の不思議」を、米紙「ニューヨーク・タイムズ」が解説する。

「居合わせながら眠る」

多くの国では、仕事の最中に眠れば顰蹙（ひんしゅく）を買うだけでなく、クビにされてしまうことだってある。

だが日本では、オフィスで昼寝をするのはよくあることで、文化的にも受け入れられている。「会社で寝てしまうなんて、疲れ果てるまで働いているに違いない」という、勤勉さの表れとみなされるのだ。

この状況を日本語では「inemuri（居眠り）」と言い、よく英語では「勤務中に眠ること」と訳されている。しかし、この現象に関する書籍も出版している、ケンブリッジ大学ダウニング・カレッジの日本学上級講師、ブリギッテ・シテーガは「『居合わせながら眠る』と表現したほうが正しい」と話す。

彼女によれば、「居眠り」という行為には「集中しなくてもできる仕事ならば、複数のことを同時にできる」という日本独特の時間に対する概念が反映されているのだという。それならば、ビーチで過ごす休暇の夢を見ながら、退屈な営業会議に参加することだって認められるわけだ。

最も居眠りをしているのは、ホワイトカラーのシニア層だ。若手社員は一日中起きていることで、やる気がある姿を見せようとするし、製造ラインで働く人にはうとうとしている暇なんてない。

日本では男女ともに居眠りにふけるが、「女性は男性よりも批判される可能性が高い」とシテーガは指摘する。女性に相応(ふさわ)しくない格好で寝ているなら、なおさらだ。

この国には少なくとも1000年の間、居眠りの慣習が受け継がれてきた。そして、これは仕事場だけにとどまらない。人々は百貨店、カフェやレストラン、居心地が良ければ賑わっている歩道の脇でも昼寝をするのだ。

公共の場で居眠りする姿が一番よく見られるのは、通勤電車だ。どんなに混んでいても、車両を自分の寝室にしてしまうことができるのは、日本の犯罪率の低さとも関係がある。

「日本では、電車で寝ていても盗難に遭う可能性はとても低いのです」とハーバード大学の社会人類学教授、テオドル・C・ベスターは言う。

居眠りして好感度アップ

公の場で眠ることで、自分の評判を高めることだってできる。

前出のシテーガは、日本人とグループでディナーをしたときのことを例に挙げた。同僚の女性が連れてきた男性のゲストが、レストランのテーブルで寝てしまったのだ。だが、席を外すのではなく、眠ってでもその場に残った彼の〝紳士的な行動〟を、ほかの招待客は褒(ほ)めたという。

公共の場で眠ることが、日本ではこれほどにも一般的である理由の一つに、彼らが家でほとんど寝ていないことが挙げられる。２０１５年におこなわれた政府の調査によると、1日当たりの睡眠時間が6時間未満の日本人成人は39・5%にも及ぶ。

居眠りをする際の暗黙のルールは、「標準以上のスペースを取らず、コンパクトに眠ること」だとベスターは話す。彼によると、会議室のテーブルの下で横たわったり、電車で席をいくつも占領したり、公園のベンチで寝そべっていたりすれば、「社会の秩序を乱している」と非難されかねないそうだ。

また、シテーガは「目を閉じることは、必ずしも眠ることを意味するわけではない」と指摘する。目を閉じるということは、プライバシーがほとんどない社会のなかで、自分の空間を作ろうとしているに過ぎない、というのだ。そう考えれば、近年、日本で居眠り文化が衰えてきていることの説明がつくという。

なぜなら、今日では目を開けていても、スマートフォンが人々をプライベートな領域に連れて行ってくれるからだ。

男女賃金格差が縮まらない理由
——ワーキングマザーの試練

The New York Times

日本の職場文化と女性の社会進出
Photo：Tomohiro Ohsumi/Bloomberg/Getty Images

«Japan's Mothers Go Back to Work, but Find the Opportunities Lacking»
The New York Times 18/9/28, Text by Michael Schuman
「日本のワーキングマザーに出世の道はあるのか」

COURRIER JAPON 18/10/21

男女賃金格差でも、36（現在38）のOECD（経済協力開発機構）加盟国中、日本はワースト3位に終わっている。そんな現実に女性のあいだでは失望感が漂う。米紙「ニューヨーク・タイムズ」が日本企業を訪ね、ワーキングマザーの雇用の真相に迫った。

2014年、オツヅキがソフトウェア企業のイサナドットネット株式会社に人事担当管理職として就職したとき、彼女は唯一のパートタイム従業員だった。「義理の息子の世話をしたいので週15時間だけ働く」という選択をした彼女は、〝のけ者〟の立場になった。同僚は彼女のことを「パートのおばさん」と呼んだ。さらに、専門知識があるにもかかわらず、分別ゴミの担当を頼まれた。オツヅキはこう振り返る。

「社内で私を認めてくれる人は誰もいなかったんです」

だが、いまでは状況が改善している。パート従業員でなくなり、昇進も果たしたのだ。

ワーキングマザーの「搾取」

数字から判断すれば、日本の職場におけるワーキングマザーの立場はよくなってきている。2018年7月に公表された政府の調査によれば、17年度時点で子供のいる女性の71%近くが働いている。これは統計上最高水準であり、2004年から見れば14ポイントも増加した。

しかしこの数字には、いくつかの大きな問題が隠れている。ワーキングマザーに任される仕事の〝質〟の問題だ。

日本では子育てのプレッシャーから、キャリア志向の母親でもパートタイムの仕事を選んでいることが多い。企業が提供する福利厚生が乏しく、女性は昇進の機会もあまりないため、給料の低い職を受け入れざるをえないのだ。その低すぎるとも言える給料は、女性の権利保護団体が「搾取だ」と指摘するほどである。

日本では17年度、母親の4人に1人しかフルタイムの仕事に就いていない。国際女性ビジネス会議の実行委員長・佐々木かをりはこう語る。

「どの企業も、女性に門戸を開いて雇用することを最終目標だと考えています。でも本当は、そこがスタート地点なんです」

義母からのプレッシャー

オツヅキは1992年に短大を卒業してから19年間、ソニーやNHKなどで秘書課や人事課の社員として働いた。２０１１年に10歳の子供がいる男性と結婚すると、仕事を辞めて子育てをしなければ、と感じるようになる。

だが、オツヅキは職場より家庭のほうがストレスがかかると感じて、その３年後には仕事を探すことにした。

彼女は言う。

「日本では、主婦に対する社会と義母からの期待値がとても高いのです。それはもう、すごいプレッシャーでした」

だがオツヅキにとって、自分に合った仕事を見つけるのは予想以上に大変だった。

「会社は経験を重視してくれません。自社独自のやり方があるからです。私は、新入社員のようにふるまわないといけませんでした」

採用に前向きだった企業の担当者たちは、オツヅキがフルタイムで働くことを条件とした。しかし家事の負担があるため、彼女は短時間かつもっと柔軟性のある勤務形態を望んだ。

結局、オツヅキがイサナドットネットに採用されるまでに半年かかった。入社当初の時給は、フルタイムで働いていたときの４割ほどだ。

謝りながら帰宅する日々

オツヅキは仕事と家庭を両立させたが、仕事を続けられないと感じるワーキングマザーは多い。

資生堂に長年勤務したマスオは、２０１３年に2人目の子供を出産した後、異動して短時間勤務ができる百貨店の美容部員になった。しかし、2年後に退職した。仕事と家庭の両立に参ってしまったからである。

家庭では、マスオの「ワンオペ育児」状態だった。食事の支度に掃除、そしていつも大騒ぎする子供たちのお風呂――そのすべてを彼女が1人でこなした。シェフである夫は店にいる時間が長く、毎朝保育園に連れて行く以外は、子育てにほとんど関わらなかった。マスオは、百貨店がにぎわう時間帯に、同僚に余計な責任を押しつけているという罪悪感にいつも苛(さいな)まれていた。彼女は言う。

「『ごめんなさい、申し訳ありません』と同僚に言いながら、家に飛んで帰る日々でした」

人材確保に必死

こうした試練のせいで日本の女性たちがキャリアを諦めることは頻繁にあり、男女間の賃金格差を広げる一因にもなっている。格差の幅は、ＯＥＣＤ加盟国中、韓国とエストニアに続き第3位というありさまだ。

とはいえ、経営者たちは労働力不足を実感しているため、ワーキングマザーへの対応に前向きになってきている。

安倍晋三首相も、長期デフレからの脱却政策の一つとして、職場での女性活用を掲げている。保育所の拡充が公約に挙げられ、大企業に女性登用の目標値の公開を義務づける法案が提出された。

「多くの企業が労働者確保にやっきになっています」

こう話すのはビースタイル社長の増村一郎である。同社は東京を拠点とする人材派遣会社で、サイト「しゅふJOB」の運営など女性の就業支援を専門としている。

しかし、女性支援団体は「もっとやるべきことがある」と主張する。職場における男女平等推進のためにはもっと厳しい法律を整備する必要があるし、女性従業員のニーズに敏感になるように、男性役員には教育を施さないといけないという。

現在のところ、進歩はまだ小規模だ。

パートタイムにも同じ制度を

2001年にイサナドットネットを設立した石谷伊左奈は、主婦の雇用を検討したことはまったくなかった。だが会社が大きくなるにつれて、パートタイム従業員に最適で、かつ重要な業務が出てきたという。石谷の妹が出産後にソフトウェア会社を辞めさせられたことで、ワーキングマザーが直面する試練に関する意識も高まった。彼は言う。

「日本の職場環境と企業文化に何が起こっているのか、考えさせられました。うちのような中規模企業の人材確保には、絶好のチャンスだと思ったのです」

オッヅキがパート従業員として働きはじめたとき、石谷はその役割と責務をフルタイム社員と区別したくはなかった、と答えた。しかし、日本の労働者はパートタイムの仕事を「機械的でつまらない業務」とみなす傾向があるとも認識していた。

オッヅキの入社以降、イサナドットネットは従業員45名のうち、パートタイムのワーキングマザー8名で構成するチームを立ち上げた。オッヅキは2018年に昇進し、彼女の時給は倍近く上がった。オッヅキはパートタイム勤務を続けているが、フルタイム従業員と同じ制度を利用できる。

現在石谷は、必要に応じて従業員が子連れで出勤することを認めている。また、両親の介護のためにフルタイムからパートタイムに勤務形態を変更することも可能にした。石谷はこう語る。

「当社の従業員には、定年まで勤め上げてほしいのです。これは日本の古い考え方ですが、そうするためには多くのことに順応しないといけません」

一方でオツヅキは、日本社会は自分のような人たちを包摂しないわけにはいかない、と述べる。

「幸いなことに日本は人手不足ですから、『パートのおばさん』だって歓迎されるんですよ」

日本で**年功序列**が続く理由 ——なぜ年上が「エラい」のか

The New York Times

オリンピック組織委員会会長を辞任する森喜朗元首相

Photo：Yoshikazu Tsuno/Gamma-Rapho/Bloomberg/Getty Images

«An 'Old Men's Club' Dominates Japan. The Young Just Put Them on Notice.»

The New York Times 21/2/26, Text by Motoko Rich

「『老害』が蔓延する日本社会に堂々とNOを突きつけはじめた若者たち」

COURRIER JAPON 21/3/11

当たり前のように年功序列制度が根強く残る日本。しかし、世界に目を向けてみると、無条件に「年上がエラい」というのは、不思議な風習に思われるようだ。

そんな年功序列社会にNOを突きつける若者たちが現れた。SNS上での若者たちの活動が日本社会を変えようとしている。米紙「ニューヨーク・タイムズ」が見た日本社会の変革の兆し。

森会長を辞任に追い込んだ大学生

先日、ある3人の20代女性が日本で最も影響力を持っているのではないかと思わされる出来事があった。オリンピック組織委員会会長による「女性がたくさんいる会議は長引く」という性差別発言に対し、この3人の女性が声を上げたのだ。

彼女たちが始めたオンラインでの署名活動は、SNSで急速に広まり、オリンピック組織委員会会長だった森喜朗（83）の辞任へとつながった。さらには、森が他の80代男性を後継者に指名することも阻止してみせた。代わりに後継者となったのは、森より25歳以上も若い女性。元オリンピック選手で、現役参議院議員の橋本聖子だ。

この出来事に、日本の厳格な年功序列制度が崩れ去る可能性を見出し、喜ぶ人も多い。日本では、実力よりも勤続年数に応じて有利な仕事が割り当てられることがままある。最も有力な政治家や実業家が、70代や80代、さらには90代なんてこともざらにあるのだ。森氏退任につながった今回の署名活動は、そんな日本社会に息苦しさを感じる若者たちの声だったと言える。

「若者たちにとって、今回の件は背中を押してくれる出来事だったのではないでしょうか。私たちは、日本社会の不健全な状況を改善したいと思っています」と、能條桃子は語る。彼女は慶應義塾大学で経済学を専攻する22歳。15万人分もの署名を集めた運動の発起人3人のうちの1人でもある。

「15万人もの声が集まったことで、私たちが社会を変える運動を続けていくうえで、力強い後押しをいただけました」

森の発言の直後は、それでも彼は年長者として、会長の地位に居座り続けるだろうと思われていた。しかし、世論はそれを許さなかった。謝罪会見のなかで森は、人々の障害物や重荷となる老人を指す「老害」という言葉に言及した。つまり、国民が自身をどう思っているのか、森自身も自覚していたということだ。

それでも変化には時間がかかる

こうした世代をめぐる変化が注目を集める一方、大幅な改革には時間がかかりそうだ。年功序列の問題に対する世間の意識が向上し、若者たちがＳＮＳを通じて手探りながら声を上げているものの、職場での変化は微々たるものだ。なかでも、官僚や企業の上層部は、依然として年配男性たちの独壇場だ。

上智大学の政治学者、中野晃一はこう述べる。

「日本社会で、世代間における変化が起きつつあります。しかし、政治やビジネスの世界では、いまだに年配男性が強い支配力を持っているのです」

日本には、オンライン署名を用いた社会運動が他にもあるが、あまり成果を上げられていないのが実情だ。

モデル、女優として活躍する石川優実は、２０１９年、ＳＮＳ上で「#KuToo（クートゥー）運動」を立ち上げた。これまで、雇用主のなかには、女性労働者にハイヒールを履くよう義務づけている場合があった。「#KuToo運動」は、そのハイヒール着用義務をやめるように呼びかけるキャンペーンだ。

厚生労働省はこの問題に対し、「意識を高める」必要があることを認めた。なかには服装規定を緩和した企業もあったものの、今でも多くの女性たちが職場でのヒールおよびスカートの着用に義務感をおぼえている。

日本で年功序列が重宝されるワケ

日本で年配男性が覇権を握っているのは、日本の人口動態の影響も考えられる。日本の全人口の4分の1以上が65歳以上の高齢者で、これは世界で最も高い割合だ。

さらに、日本人は他国に比べ、健康で寿命が長い。日本のテレビには、70代や80代になっても第一線で活躍するベテランたちが溢(あふ)れている。だが時には、そんな高齢者の時代遅れな価値観が主流になってしまうことがあるのもまた事実だ。

日本では、年齢こそが他のあらゆる素質を上回る最大の物差しとみなされていることが多いのである。

「日本では、勤続年数と年齢が実力よりもずっと重視されます。この国は世界のなかでも、突出して実力よりも年齢を重視する国なのです」と、投資会社ウィズダムツリーのアドバイザーを務め、30年以上も日本で暮らしてきたイェスパー・コールは語る。

日本で年功序列制度が続いているのは、安心感が得られるからだ。労働者たちは、年功序列制度をキャリアの道しるべとしている。さらに、彼らは子供の頃から年齢による上下関係を徹底して教え込まれているのだ。

「学生時代に周りから言われていたのは、先輩の話を聞いておけば、自分が先輩になったとき、後輩たちがきちんと話を聞いてくれるはずだ、ということでした」と、27歳のヨシオカは言う。彼によれば、職場でも同様に、「勤続年数の長い社員が最終的には昇進していく」という。

現在、彼は東京の大手マーケティング企業で働いているが、この年功序列制度に限界を見出しているようだ。

「たいして実力がなくても、10年、20年、30年と勤続して、重役の地位にいる社員もいます。こうした権力のある社員が発言すると、他の社員たちはただ沈黙し、何も発言できない雰囲気になってしまう傾向があります」

年功序列が日本経済の発展を阻害している？

こうした、年上への服従の強制や、リスクを取ろうとする若者の意欲を削ぐ文化が、日本経済の発展の妨げとなっていると一部のアナリストは指摘する。上智大学の中野教授は日本社会の現状をこう語る。

「我が国は、人口がどんどん減少し、経済はせいぜい停滞状態がいいところ。そしてイノベーションがほとんど起きていません。かつて日本はウォークマンを生み出しました。ところが今や私たちは、イギリスから掃除機を買っている始末です。進歩をやめた日本の姿は、ほとんど滑稽と言ってもいいくらいです」

日本では、戦後から発展してきた伝統的な終身雇用制度を採用している。いくつかの企業は徐々にその制度を取り去ってはいるものの、大手企業の大半がいまだに「就活」を通して学生を採用している。彼ら就活生たちは、入社した後は定年まで働くことを求められているのだ。

多くの若者たちが、自分が年を取るまでリーダーシップを取れないことを嘆く一方、そうした制度のあり方に諦めも感じている。あるいは、安定した現状をわざわざかき乱す必要はないという人たちもいる。日本は経済成長こそ見込めないが、豊かな生活水準と、概して快適な生活が約束された国なのだから。

今年の春に保育士になる予定の22歳のシゲヒサはこう話す。

「悔しい気持ちもありますが、でも、それは若者世代としての宿命なのです」

変化の兆しも

伝統的な企業に勤める若者のなかには、変化の兆しを見出している人もいる。25歳のスガワラは昨年、日本の大手警備会社に海外経験のある大卒として入社。彼は入社4年目までに海外派遣される予定で、これまでの世代に比べ、かなり早いという。

日本が望んでいなくても、こうした年功序列制度から能力や実力に応じた制度への変化は避けられないかもしれない。というのも、日本の人口は減り続けており、昨年の出生率は過去最低を記録した。

声を上げはじめる若者たち

日本は新型コロナウイルス感染症のパンデミック以前から外国人労働者を多く受け入れるなど、悪名高い島国根性を緩和しはじめている。とはいえ、功労者に報いたり、若い世代に新たなアイディアを試すチャンスを与えたりしなければ、日本は才能ある一流の人材を確保するのに苦労するだろう。

世代が続いていけば、年配の世代から受け継いだ世界を、若者たちが作り変えていくにつれ、日本社会は静かに変わっていくのではないか。

世代を超えた変化というのは「もっと穏やかな問題であり、個々人の決定で成り立っている」と指摘するのは、香港中文大学で人類学を研究し、『若者は日本を変えるか――世代間断絶の社会学』の共同著者でもあるゴードン・マシューズ教授だ。

マシューズ教授は、結婚を選ばない女性が記録的に増加していることや、若者たちが企業に就職せず、フリーランスでのキャリアを追求していることを挙げる。

「誰かが計画したわけではありません。若者たちが、親たちの世代とは違う生き方をしようと決めているのです。若者一人一人の決断の積み重ねが、世代をめぐる変化となって現れたのです」

「パンデミックはある意味で若者に力を与えています」

和光大学で社会学を学んでいる福田和香子は語る。

「私たちは意見を言ったり、声を上げたりするよう教育されてきませんでした。しかし、人々が家で過ごす時間が多くなったため、ＳＮＳに時間を費やすようになりました。ＳＮＳは、私たちが意見を発信する場となっているのです」

「私たちにふさわしい場所はすでに存在しています。そしてその世界は、若者たちが統治する世界なのです」

日本ではなぜ ポピュリズムが台頭しないのか

Aljazeera

郵政民営化を掲げた小泉純一郎元首相

Photo：Junko Kimura/Getty Images

«Why is populism so unpopular in Japan?»

Aljazeera 21/6/10, Text by Michael Penn

「日本ではなぜポピュリズムが台頭しないのかを中東メディアが分析」

COURRIER JAPON 21/8/21

カタールメディア「アルジャジーラ」が「日本ではなぜポピュリズムが人気がないのか」とする記事を掲載した。

欧米に比べて日本ではポピュリズムが目立たないと指摘したうえで、選挙制度や経済格差、「比較的統一された文化」など、あらゆる角度からその理由を分析している。中東メディアが見た日本の姿はどのようなものだろうか。

日本を静かに通り過ぎた

1987年4月1日、当時の首相だった中曽根康弘は、急進的な労働組合運動に致命的な打撃を与えた。

中曽根は、国鉄を7つの民営鉄道会社に分割。その過程で、強大な国鉄労働組合は壊滅し、日本のボトムアップ政治の主要なプラットフォームは消滅したのだった。

中曽根の国鉄分割は、日本の独立した組合の力に対する、とどめの一撃だった。これは、1981年にアメリカでロナルド・レーガン大統領が航空管制官組合員を解雇したことや、1985年にイギリスでマーガレット・サッチャー首相が全国炭鉱労働組合を屈服させたのと同様だった（中曽根がこれらの指導者と個人的な友人であり、政治的な同盟者であったことは偶然ではない）。

１９８０年代末までに、日本のほとんどの労働組合は、慎重で保守的な日本労働組合総連合会（連合）の傘下に再編された。連合は、30年以上の歴史のなかで大規模なストライキを支援したことのないおとなしい労働組織であり、労働者の雇用保障、毎年の小幅な賃上げ、職場の安全性向上策などを主張し、体制側の小さな立場で甘んじてきた。

労働組合を手なずけたことで、中曽根の期待通りに10年も経たないうちに野党第1党の日本社会党が崩壊。それまで、日本社会党は国内第2位の政党だったが、選挙戦に動員できる組合員の後ろ盾を欠き、経済団体や専門家団体の政権与党への支援に対抗できなくなった。

これにより、反体制的な政治運動、つまり草の根的な意見や反体制的な意見を推進する政治運動が、日本の政界で成長し、発展する余地があった時代は終わりを告げた。

言い換えれば、これが２０２０年代初頭に他の先進民主主義国を席巻したポピュリズムの波が、満ち足りた、もしくは無関心な日本を静かに通り過ぎたように見える要因の一つでもある。

北米や欧州に比べて相対的に弱め

まず言っておかねばならないが、「ポピュリズム」について誰もが認める定義はない。一般的には「国民」の代表者として、来るべき進歩を妨げているとされる腐敗したエリートと闘う政治指導者などがイメージされている。

それ以上に、ポピュリズムがどんなものかを具体的に説明するのは難しい。いずれにせよ、日本の政治家が好んでメンバーになりたがるG７の国々の北米やヨーロッパに比べて、現在の日本ではポピュリズムが弱めという相対的なコンセンサスが得られている。

このような日本におけるポピュリズム政治の相対的弱さを説明するのに、政治システムに構造的な障害があると指摘する学者もいる。

西南学院大学のクリス・ウィンクラー准教授は、日本の政治システムは「どの政党にとっても、特にポピュリスト政党にとって非常に高いハードルがある」と考えている。長く政権を維持してきた自民党を除いて、国政レベルの政治家は、投票での勝算を高めるため、異なる意見を持つ人々と妥協したり、他の小政党と協力したりすることを余儀なくされる。

与党の政治家も同じように妥協を求められる。政権与党は７つの大きな派閥に分かれており、独自の道を歩むことができないようになっている。実際、自民党は1955年に対立する2つの保守政党が合わさってできた政党だ。

ウィンクラー准教授は「トランプのような人物は日本では勝ち目がありません」と断言する。さらに「完全なアウトサイダーでは、勝てません」とも。

テンプル大学ジャパンのマイケル・チュチェック准教授も、本物のトランプのような人物が日本で国のリーダーになるのは期待できない、と同意する。日本では、億万長者がそのような権力の道を歩むことはできない。なぜならこの国では「政界進出を金で買うことはできない」からだ。

日本のお金持ちは丘の上に住まない

しかし、現在の日本のポピュリズムの弱さを説明するのに、選挙制度に注目すべきだという点については、全員が同意しているわけではない。

センター・フォー・アメリカン・プログレスのアジア担当シニア・フェロー、トビアス・ハリスは「選挙制度は単なるルールであり、国民が何かを求めれば、それに合わせて政党システムが変わります」と主張。日本でポピュリズムが流行らない理由は、他にもあると考えている。

ハリスの考えでは、日本のポピュリズムが抑制されているのは、国民年金、失業手当、国民健康保険などの社会的セーフティネットがしっかりと維持されているためであり、そのため日本には悲惨な貧困があまりないか、少なくともそのような貧困が目に見えるかたちで現れていないからだそうだ。

ウィンクラー准教授は、過去20年間で「日本の不平等は拡大している」が、それでも「アメリカのレベルには遠く及ばない」と指摘する。ＯＥＣＤ（経済協力開発機構）の最新データによると、日本の貧困率は15・7％で、米国の17・8％と比べてもひどくはない。以前よりも経済的に苦しくなってきているとはいえ、ほとんどの日本人は、依然として自分たちは中流階級の一員であると考えているのだ。

また、北米やヨーロッパのように、億万長者が派手な生活をしているということもあまりない。もちろん、日本にも富裕層はいるが、丘の上の豪邸や人里離れたゲートとフェンスで囲まれた住宅地ではなく、他の人々と同じコミュニティに住む傾向がある。平等主義と相互協力を重んじる日本では、富の誇示は社会的に受け入れられない。

そのため、日本では、国を支配する「１％」についての議論は主流ではない。近年、「上級国民」という言葉がソーシャルメディア上で流行しているが、これは、政治家や司法関係者から何らかのかたちで優遇されている人たちを大まかに意味する。

比較的統一された国民文化

自然災害や人災が起こっても、暴力や略奪はここ数十年でほとんど見聞きすることがなくなったことからもわかるように、日本社会は比較的まとまりがあり、団結している。ドイツのデュースブルク・エッセン大学のアクセル・クライン教授は「日本には、日本人を『2つの民族』と呼ぶ人があまりいません」と指摘している。

北米やヨーロッパでは、都市部と農村部の間に経済的・文化的な大きな格差があるが、日本はそうではない。これは、与党自民党の政治権力基盤が地方のコミュニティにあり、主に1945年以降の土地改革が成功したこと、そして一般的に保守的な文化的背景によるものだ。

「自民党は地方を存続させるために多くのことをしています」とクライン教授は見ている。「自民党は瀕死の状態にある小さな都市や村に多くの資金を投入しています」。その結果、地方に住む日本人は「自分たちを『忘れられた人々』と呼ぶことはありません」。

ハリスは、日本には「逆転ポピュリズム」があるとすら語る。「もし、都市と農村の格差があるとすれば、日本の純粋な農村の人々から都市のエリートに対して向けられているものではなく、日本の都市の悩める人々が農村に基盤を置くエリートに向けているものです」。地方が「国民の文化的生活の中で忘れられている」わけではないと、ハリスはクライン教授の意見に同意している。

実際、地方の食べ物や習慣は日常的に語られ、重んじられている。都市部の住民は、休日になると地方に出かけて親戚を訪ねたり、日本の別の側面を体験したりするのを楽しみにしている。

このような比較的統一された国民文化は、恨みを軽減し、怒りに満ちた田舎のポピュリズムが支持されるのを防ぐ役割を果たしている。

「無視される」移民たち

日本の外国人・移民は、全人口の約2・3％のみで、これらの人々は日本の政治的な議論の間ではほとんど無視されている。

上智大学のティナ・バレット准教授は「欧米では、反移民感情がポピュリスト候補への支持を決定する重要な要因の一つになっています」と話す。

欧米の国々と比較し、バレット准教授は「日本では、移民は必ずしも勤勉な地元の労働者から仕事を奪うものとはみなされていません。なぜなら、日本には失業危機がなく、人口減少問題があり、実際に労働力が不足している産業がたくさんあるからです」と話す。

このような状況は、ヨーロッパの多くの国で盛んになった移民排斥主義者のポピュリズムのような形態が、日本ではあまり意味を持たないことを意味している。

小泉流ソフトなポピュリズム

日本の国政におけるポピュリズムは、他のＧ７諸国に比べて弱めというのが大方の見方ではあるが、常々何らかのポピュリズムを表しているとされる政治家もいる。センター・フォー・アメリカン・プログレスのアジア担当シニア・フェロー、トビアス・ハリスは日本の政治には１９９０年代から２０００年代にかけて「ポピュリズムの瞬間」があったが、２０１２年末に安倍晋三が政権を握ったことで事実上終焉を迎えたと主張している。

アナリストやメディアから「ポピュリスト」と呼ばれた日本の政治家の一人は、２００１年から２００６年まで首相を務めた小泉純一郎だ。

小泉流ポピュリズムは、ソフトでトーンダウンしたもので、与党の仲間向けではなく、日本国民に向けた個人的なコミュニケーションのスタイルに起因するものだった。

小泉は、既得権益を守り、必要な経済改革を妨げ、国の発展を阻んでいるとされた硬直した官僚とその政治的同盟者に対抗する国民の代表者であると主張した。

小泉ポピュリズムの頂点は、2005年に郵政改革を強行するために解散総選挙を実施したときだ。小泉は、改革に反対する候補を政権与党から追放し、独自の「刺客」候補（現在の東京都知事である小池百合子ら）を立てた。有権者の反応は上々で、小泉は劇的な地滑り的勝利を収めた。

しかし翌年、小泉は首相を退任。小泉のカリスマ性を失った政権党のエリートたちのなかに、ポピュリストの遺産を引き継ごうとする者はいなかった。小泉に後継者がいたとすれば、それは当時の野党・民主党の党首である小沢一郎だっただろう。

小沢は、小泉のような魅力的で印象的な公的人格を持ち合わせていなかった（小沢が「ポピュリスト」と呼ばれることが少ないのはこのためだろう）。だが、「小泉と小沢はある意味では共通の目標で結ばれていました。両者は旧態依然とした自民党が日本が辿り着くべき運命への道を阻んでいると考えていたのです」と、待ち望まれていた経済再生に言及しながら、ハリスは指摘する。

2009年8月の総選挙では、小沢の奮闘により民主党が空前の大勝利を収めた。しかし、小沢は政治資金規正法違反で告発されたため、この勝利を享受する機会はなかった（これは、小沢を首相の座から遠ざけるために検察側が捏造（ねつぞう）したと思われる）。

国家レベルの日本の「ポピュリズム」はその後間もなく消滅し、民主党は米軍基地再編や福島原発事故の処理などで3年間にわたり政策を失敗、これが安倍晋三の復活につながり、国民は日本をより自立的で活気ある社会の国にするための前向きな政治的変化を期待することに疲れて意気消沈した、というふうにハリスは見ている。

日本型ローカル・ポピュリスト

しかし、日本の政界のなかに、ポピュリストであるとよくみなされる政治家がいることも事実だ。大都市の知事や市長である。

上智大学のティナ・バレット准教授は、日本の地方に目を向けると「他のG7諸国の地方レベルよりも、ポピュリズムがはるかに顕著です」と指摘している。

最もよく引き合いに出されるのは、2008年から2015年まで大阪府知事、大阪市長を務めた橋下徹だ。若くて威勢のいい橋下は世間の注目を集め、2012年の世論調査では日本で最も人気のある政治家とされた。

通常穏やかな日本の政治家とは異なり、極右の橋下は、貧しい階級の出身で、敵とみなした相手をためらわずに叩いた。そのターゲットは国、官僚、労働組合、日本共産党などだった。

しかし、大阪市立大学のチャールズ・ウェザーズ教授によれば「トランプのような欧米諸国で見られるような、民主主義の規範を脅かしたり、破ったりするような人物に比べれば、橋下はそこまで極端ではありませんでした。日本はそこまで二極化されていないのです」とのことだ。

結局、橋下とその地域政党は、最も重要視していた大阪府と市の行政の一元化など、主要な目的の大部分を達成できなかった。ウェザーズ教授は「橋下は、挑発的なことを言って、連日報道される方法を知っていましたが、実際に成し遂げたのは、公務員の政治活動を制限して権利を侵害するような条例をたくさん通過させたことでした」と話す。

橋下の終焉の始まりは、2012年末に安倍晋三が首相に選ばれたときのことだった。橋下と安倍の右派的な政治観は似通っていたため、安倍は橋下のお株を奪い、中央政府に対抗するのをより難しくしたのかもしれない。

日本のポピュリストと呼ばれる地方政治家には、河村たかし名古屋市長、田中康夫元長野県知事、小池百合子東京都知事らもいるが、これは既存の政党や既得権益者に対して優位に立つために、一般大衆にカリスマ性をアピールしたためだ。

バレット准教授は、これらの日本型ローカル・ポピュリストについて、他国のポピュリストとはまったく異なる種類のものだと見ている。「彼らはかなり新自由主義的な傾向があり……改革推進派であり、ビジネス推進派であり、他のG7諸国で見られるようなポピュリストとは政策がかなり違っています」。

この特徴は、「日本には新自由主義的な革命がなかったため」だとバレット准教授は考えている。興味深いことに、経済政策の方向性という点では、「日本のポピュリストは、他のG7諸国でポピュリストが戦っている体制派の人物にあたる」という結果になっている。

闘争心を削がれた左派

日本の新自由主義的ポピュリズムが比較的おとなしいのは、1970年代から80年代にかけて急進的な労働組合の力が潰されたことと確かに関係がある。太平洋戦争後の数十年間、労働組合は、社会主義、反帝国主義、非同盟運動の推進など、日本の主流から外れた世界観を組織的に育む役割を果たした。

急進的な労働組合が1980年代に淘汰された後は、それに代わるものは出てこなかった。

ハリスはこう説明する。「私たちが見てきたポピュリズムは、システムのなかにありました。反体制的な政治のための組織的な中心がないのです」。

日本では、独立したグループが要求を出したり、制度の大幅な変更を促したりするための政治的空間が認められていない。政権与党は戦後、社会的対立の原因となるものをすべて飼いならすために協力し、ほぼ成功した。

これは、日本の報道機関にも言えることだ。この批評的領域は、政権によって厳重に管理されており、左派も右派も政府の方針から大きく外れることはできなかった。

たとえば、アメリカでは、ＣＮＮやＭＳＮＢＣを見る人と、ＦＯＸニュースやワン・アメリカ・ニュース・ネットワークを見る人との間に情報の隔たりがあるが、日本にはない。日本では、既成政党が支配的で、メディアは慎重に、そしてときどき、軽い論争の対象となるような政治問題に触れる程度である。

実際、自民党は１９５５年以来、一党独裁に近いかたちで日本を運営しており、政権が途切れることはほぼなかった。２０２１年になっても、その恩顧主義的な政治スタイルは健在だ。

このような構造的な支配は累積的に影響を生み、「本来ならば左派で活動するはずだった多くの人々の闘争心を削ぎました」とドイツのデュースブルク・エッセン大学のアクセル・クライン教授は指摘する。それどころか、多くの人々は、与えられた静かでそれなりに快適な生活で落ち着こうと、政治に目を向けなくなっているようだ。

また日本の教育システムは若者に協力や妥協、他者との和を優先させるように教え、こうした傾向を強めている。

クライン教授は「日本の人々は、自分の意見を表明し、それを主張するような育てられ方をされていません」と見ている。

現代の日本でポピュリスト政治が相対的に弱いのは、制度的な障壁や反体制的な政治プラットフォームの欠如だけではなく、政府が国民を教育する方法にも理由があるかもしれない。

クライン教授は「正しいと信じていないのに自分の意見を広めて、従ってもらったり同意してもらったりするのを望まないのであれば、ポピュリズムに火をつける燃料はありません」と結論づけている。

第3章　ニッポンの今を歩く

日本人の自殺率はなぜ高い？
——その数、年間2万人以上

L'Obs

青木ヶ原樹海
Photo：Carl Court/Getty Images

«Flambée des suicides au Japon: on est allé dans la forêt où les Japonais viennent se tuer»

L'Obs 21/2/25, Text by Boris Manenti

「仏誌が樹海で考察『日本人の自殺率はなぜ高い？』孤独大臣は任命されたが……」

COURRIER JAPON 21/3/26

２０２０年、日本の自殺者数は２万１０８１人にものぼり、２０１９年から９１２人増加した。事態を重く見た政府は孤独・孤立対策担当大臣を任命したことが、海外でも大きく報じられた。

日本の自殺率はなぜこんなに高いのか。その特殊性に迫るべく、仏誌が青木ヶ原樹海を取材した。

毎年１００体以上の遺体が見つかる自殺の名所

古い木の立て札には次のように書かれている。「命は親から頂いた大切なもの」「一人で悩まず　まず相談して下さい」。そして、山梨県富士吉田警察署のなかにある自殺防止連絡会の電話番号も記されている。

立て札は青木ヶ原樹海の入り口に立つ。東京から南西方向にある、富士山麓に広がる35平方キロメートルの深い森だ。日本人が「自殺の森」と呼ぶこの森では、毎年１００体以上の遺体が発見される。

この20年、日本は高い自殺率の問題に取り組んでいる。２０１７年の統計では、10万人当たりの自殺者数が16・8人。これは、G7では最も高い数値であり、世界保健機関（WHO）によると世界で30番目の高さだ。

毎年、2万人以上の日本人が自殺をし、そのうち70％が男性で、3分の2が45歳以上、多くが失業者である。また、自殺は、10歳から19歳の若者の死因のトップにもなっており、国民的な問題だ。

WHOの専門医アレクサンドラ・フレッシュマンは「経済危機とともに自殺率が急増した」と分析する。それまでアメリカに次いで世界第2位の経済大国であった日本の経済は、1990年代に奈落へと急降下してしまった。

不動産に熱狂したバブルがはじけ、デフレになり、経済成長が停滞し、失業が拡大した。自殺者数は年間3万人のラインを越え、2003年のピーク時には3万4427人に達した。自殺志願者の「名所」である橋、断崖、峡谷、高層ビルは国土の至るところにあるが、その筆頭が青木ヶ原樹海である。

『完全自殺マニュアル』で名声を確立

この象徴的な場所には、幽霊が出るとされている。幽霊とは、過去の悲しみ、怒り、後悔などによって、自分を抑えられなくなってしまった魂のことである。東京で暮らすアンナ（23）は次のように説明する。

「私たち日本人はめったに樹海には近づきません。幽霊が怖いですから！」

青木ヶ原樹海の木々は、多くの映画の背景にも使われてきた。たとえばガス・ヴァン・サントの『追憶の森』、ナディア・リッツの『ピープル・ガーデン』、ジェイソン・ザダの『ＪＵＫＡＩ─樹海─』などだ。ユーチューブのスター、ローガン・ポールは樹海で自殺者の遺体を撮影し、物議を醸した。

晴れた日曜日には、散策路や「洞窟」を楽しもうと、観光客が訪れる。この洞窟は、864年の富士山噴火のときに流れ出した溶岩によって、脆くて黒っぽい岩からなる火山性の土壌ができ、そこに形成されたものである。杉とツガの巨木が鬱蒼と繁り、「樹海」と呼ばれるようになった。

樹海散策は牧歌的とも言えるが、1993年に出版された鶴見済の『完全自殺マニュアル』に掲載されたルートには、日本語がわからない人でもすぐにわかる立ち入り禁止の看板がある。この本は、「素早く簡単で苦しくない自殺実行の実用的側面」を正確に述べたことで、そして「人間の最も基本的な権利」を論じたことで、日本を揺るがせた。100万部以上売れ、青木ヶ原樹海を「自殺に完璧な場所」としたことで、その「人気」を確立させた。

日本人の自殺の多さには宗教と伝統が影響している

立ち入り禁止の看板を過ぎると、遊歩道はなくなり、杉と松がますます生い茂り、地面は凸凹になる。地面は苔に覆われて滑りやすく、クレバスが点在するようになる。もつれた枝が風を遮断する。

動物の痕跡はなく、ムカデやクモだけが枯木と枯葉の上に現れる。太陽の光は、ますます繁茂する葉に遮られる。湿気が多くなり、寒さが骨まで沁みる。植物の迷宮である。しばらくすると、木の幹に結びつけられ、水平に張られた青いビニール紐が見えてくる。そして、少し進むと、2番目には白い紐が。そしてさらに進むと、咲き乱れる花の群落の只中に何十本もの紐が張られている。自殺志願者が、意思が変わったときに帰れるように、道標として張ったものだ。

地面には捨てられたエナジードリンクの空き瓶がある。清潔さにこだわる日本で、しかも大自然の真っ只中に、このようなゴミを見出すのは稀である。

「ゴミを残したまま自殺する人は、日本人ではごく稀です」と、愛知県の団体職員で、この森の散策を趣味とするコウヘイ(43)は言う。20メートルほど先には、さらにテント、寝袋、パーカー、捨てられたペットボトルがあった。

「日本の文化において自殺は、強固な自己決定のしるしとして、重大な犠牲のしるしとして、あるいは過失の自認として考えられています」と、東京大学医学部の哲学博士・須貝(すがい)眞彩(まあや)は説明する。

　自殺とそれらの関連は、宗教の問題として説明できる。キリスト教、イスラム教、ユダヤ教と違って、仏教と神道は自殺を咎(とが)めなかった。

　また、先祖伝来の伝統としても説明ができる。12世紀からのサムライ文化は主君のための死を称揚した。アジア文化において腹は勇気、感情、意識の場所を表しており、特に腹切り（切腹とも言う）という開腹による自死の儀式がおこなわれていた。

　こうした犠牲は栄誉あるものと考えられ、第二次世界大戦の際、敵陣営へと飛行機ごと砕け散った、神風特攻のパイロットにまで引き継がれていく。切腹は、罪と家の不名誉を洗い流すための、究極の回復行為としても規定されていた。

「創世記に記されたアダムとイヴの息子カインの末裔は神の眼差しを逃れられない、たとえあの世に行っても。しかし日本では、死によって隠れることができ、完全に消え去り、罪を償うことができる」と、フランスの日本文化専門家で作家のモーリス・パンゲは『自死の日本史』で述べている。

日本社会では精神面のケアがないがしろにされてきた

今日では自殺は、むしろ、心理的な問題、うつ、社会的孤立、経済的困難、家庭問題、会社や学校での過度のプレッシャー、子供にも青年にも蔓延している学校でのハラスメント（「いじめ」）などが原因となっている。

だが、農林水産大臣の松岡利勝が、献金スキャンダルに関係して、２００７年に首吊り自殺をした際、石原慎太郎東京都知事は彼を「真の侍」として賞賛した。

青木ヶ原樹海に深く入るにつれて、空気は重くなり、もはやひとつの物音さえも怖く感じ、木の枝は襲ってくるかのように思える。掘り整えられた地面に、２体の骸骨が並んで横たわっている。

服は破け、足には無傷の長靴。傍らには瓶が転がっている。おそらく服毒自殺をしたカップルだろう。日本では自殺方法の10％が服毒である。

日本の演劇や文学では、恋人同士の自殺（心中という）についての詩的物語が豊富にある。推理小説作家、松本清張の有名な小説『波の塔』のイメージを用いるなら、若い人妻と検察官が、ある恐喝者に脅されて、青木ヶ原樹海での死を選んだ。

「自殺の森」に詳しい漫画家の村田らむは、最近、青木ヶ原についての本『樹海考』を出版したが、彼は「6体の首吊り遺体、20近くの骸骨」を見たことがあると述べている。

コウヘイは、300回ほど散策をしているうちに「遺体を数えるのはやめた」と語る。遺体を見つけるたびに、彼らは警察に通報をし、遺体の場所を報告する。村田らむは次のように述べている。

「自殺志願者に出会うのが、最もうんざりです。あるとき、私はロープの準備をしている70歳ぐらいの女性に出会いました。私はすぐに警察に通報し、警察が来るまで彼女と話そうとしました」

日本は、この数十年間、自殺の心理的側面に目を閉ざしてきた。『ああ、日本人は素晴らしい場所で自殺をして、侍の伝統があるから自死を恐れないのか』と言うことは、精神障害対策の遅れの結果であるということを忘れることだ」と、『20世紀日本の自殺』（未邦訳）の著者で研究者のフランチェスカ・ディ・マルコは嘆いている。

日本の新聞もそれを嘆く。「日本の心理ケアは、他の近代的国家と比べると著しく遅れている」と、最近、日刊紙「ジャパンタイムズ」は総括している。長い間、日本は精神科医を拒絶してきた。20世紀初頭まで、医師たちは、自殺者を「精神薄弱」と形容し、うつ病は、「西洋的疾患」であると考えられていた。

第二次世界大戦後に初めて、日本はアメリカの薬用溶液を使用しはじめ、2000年代にやっと西洋的な意味でのうつ病を受け入れ、より効果的な治療への道を開いた。しかし、その進歩は遅かった。さきほどの須貝眞彩は次のように解説する。

「日本には、まだ、自殺予防の支えとなる精神障害を専門とする医師やカウンセラーが足りません。今日でも、精神科医への受診は後ろめたく、自らの精神的問題を周りに話すことは恥ずかしいことだと思われています。自殺は精神疾患に密接に結びついており、危険のある人への適切な処置だけが自殺率を長期的に減らすことができるのです」

２００６年に自殺防止のための法律が強化されて以来、自殺は減少し、２０１７年には2万１３２１件になった。しかし、若年層の自殺率は依然として高いままである。政府とも関係のある、自殺総合対策推進センター長である本橋豊によれば、精神性の変化は教育によってのみ起こるだろう。

「小学生が自殺していることを考えると、命の大切さを教えるだけでは不充分で、落ち込んだときに助けを求めることを学ぶ必要があります」

青木ヶ原樹海の立て札の前に辿り着いた人にとっても、それは同じだ。彼らに命の大切さを教えるだけでは不充分である。

孤独死ニッポンで急成長した「遺品整理ビジネス」とは

Bloomberg Businessweek

増加する孤独死
Photo：朝日新聞

«Dying Alone in Japan: The Industry Devoted to What's Left Behind»
Bloomberg Businessweek 18/7/18, Text by Adam Minter
「孤独死ニッポンで急成長『遺品整理ビジネス』に米経済誌が迫る」

COURRIER JAPON 18/9/25

少子高齢化や孤独死の増加で、日本の遺品整理ビジネスが活況を呈している。業者が引き取った品々の多くは海外に送られ、「メイド・イン・ジャパン」の中古品として人気だという。

米誌「ブルームバーグ・ビジネスウィーク」が、一人の遺品整理士の仕事を通して、この産業の市場規模、ビジネスモデル、背景にある日本の社会問題に迫った。

少子高齢化で需要が増大

ハン・ジョンジャは、ペンやライターなどが入っていた引き出しの中身をすべてゴミ袋に捨てた。その様子を、50代半ばの女性が椅子に座って眺めている。

ここは東京・恵比寿にあるマンションの一室。50代の女性は数週間前に交通事故で夫を亡くし、遺品整理をハンに依頼した。夫妻には子供がいなかったので、ハンへの注文はいたって簡単。「何もかも片付けてちょうだい」だった。

ハンは遺品の整理・処分を専門とする「しっぽプロジェクト」の代表を務めている。少子高齢化によって日本の人口が減少していくのに伴い、需要が増大しているサービスだ。

業界団体「遺品整理士認定協会」によれば、加盟企業8000社の年間売上高の総計は5000億円を超える。今後5〜10年の間に加盟社数は倍増する見込みだという。

ハンにとって今日の仕事は比較的簡単なものだった。3人のスタッフとともに午前9時に作業を始めた。マンションの下の通りに待っている小型トラックは、午後1時までには満杯になって出発する予定だ。

時間があれば、ハンは取引先まで一緒に乗っていく。取引先の業者は、中古品を買い取って貨物コンテナに詰め込み、フィリピンの買い手へ向けて輸出する。

ハンの毎日は忙しい。一昨日は福島で遺品整理をしてきたという。この恵比寿での仕事が済んだら、別の顧客と会うために横浜へ向かうことになっている。

ハンは引き出しのなかから、茶色の小さな円筒形のものを取り上げた。印鑑だ。依頼人の女性のほうを振り向いて尋ねる。「これは取っておきますか?」。

女性は顔を上げた。面長の顔をして、目のまわりには隈ができている。午前中、最初は静かに物思いにふけっている様子だった彼女は、やがて打ち解けて話をするようになり、ときには冗談も言うようになっていた。突然終わってしまった夫婦生活の思い出話が尽きなかった。

だが、ハンに印鑑の処分について聞かれると、また現実に引き戻されたようだった。疲れ切った表情に戻り、「いいえ、要りません」と、首を振って答えた。

印鑑はゴミ袋行きとなった。

JALの客室乗務員から遺品整理士に

ハンは50歳。日本で生まれ育った在日コリアンだ。以前は日本航空の客室乗務員をしていた。その経歴もあってか、マンションにある遺品の数々を、機内の食事トレイを回収するような手際の良さで、次々と片付けていく。

だが、時々手を休めて、依頼人の女性に慰めの言葉をかける姿からは、温かな思いやりも感じられる。細やかな心遣いは遺品整理士に欠かせない。業界の競争は厳しく、遺品整理士がどれだけの共感を示せるかによって、仕事がとれるかどうかが決まることも多いのだ。

ハンはキッチンの床に膝をつき、食器を新聞紙に包みながら、自身の母親が亡くなった後、こうした仕事が必要だと気づいたと話しはじめた。ハンは当時、フライトで忙しかった。かといって、家族のなかの誰かを当てにすることも難しいとわかっていた。

お金を払ってでもいいから、誰か遺品整理を手伝ってくれる人がいてくれたら、と考えたという。

それから数年後、東日本大震災とそれに続く景気の後退を受けて、ハンの友人の一人が新しいビジネスを模索していた。その友人というのは、自動車部品の製造・販売などを行う会社「アクティブテクノ」の設立者で、遺品整理ビジネスに関心があることを、ハンに話したという。

「それを聞いて、『だめだめだめ、その仕事、私がやる』って言ったんです」と、ハンは振り返る。

こうして2012年、アクティブテクノの一部門として「しっぽプロジェクト」が誕生した。

マットレスの上に腐乱死体の痕跡

遺品整理ビジネスには比較的簡単に参入できる。ハンは中古品の売買を手掛けるために古物商としてのライセンスを取得。さらに、検死官に必要とされるような「特殊清掃」の研修を受けて資格を取った。

ハンは食器を置いて立ち上がると、スマートフォンを取り出し、遺品整理の写真をスクロールして見せてくれた。画面に映し出されたのは、ベッドの写真だった。マットレスの上には腐乱死体が残した黒ずんだ痕跡がある。

「遺体は片付けませんが、その後に残されたものを清掃するための研修を受けなくてはなりませんでした」

さらにスクロールを続けると、畳にこびりついたままの髪の毛や、遺体が横たわっていたゴミの山の画像が現れた。

遺品整理市場のおよそ30％を孤独死が占めていると、遺品整理士認定協会の小根英人副理事長は話す。それから、空き家となって朽ち果てた「廃屋」の片付けが20％を占めている。

残りの50％の仕事は遺族からの依頼によるものだ。ハンによれば、家族が集まって故人のことを語り合う光景が見られるときもあれば、悲しい場面に出くわすこともある。

「金目の物欲しさにやってきて、それ以外の物は残していくのです」

僧侶まで遺品整理ビジネスに参入

日本では、２００７〜16年に10万社以上の企業が古物商の認可を得ている。ハンのような遺品整理業者は、１日がかりの仕事に対して25万〜35万円ほどの料金を請求する。ただし、仕事の量や作業時間の長さによっては、数百万円に達する場合もある。

日本では不用品の廃棄に高額の料金がかかるため、中古品販売の大きな市場が誕生した。

2016年、日本の中古品産業は160億ドル（約1兆7600億円）規模になった。2015年より7・4%増、2012年と比べると30%の増加で、小売市場全体のおよそ4・1%に達している。

そうした日本のリサイクルショップの多くは、商品を調達するために副業として遺品整理事業を行っている。寺の僧侶でさえ、この事業に参入しているのだ。

「葬儀が終わると遺族はお寺に法要に行きます。その後、僧侶が自宅へ伺って片付けをするのです」と、雑誌「リサイクル通信」の浜田里奈編集長は言う。

アフリカや東南アジアの中古品市場へ

マンションの下に駐車しているハンの小型トラックはほとんど満杯になってしまった。「もう1台用意すればよかったかもしれませんね」とハン。

スタッフが家具や段ボール箱をトラックの荷台に積み込む様子を眺めながら、ハンは、そうした品物が最終的にはどこへ行くのかを教えてくれた。日本国内の中古品市場が堅調な伸びを見せている一方で、海外には、それよりもさらに大きな日本製品の市場があるのだ。

ハンは、隣のビルの脇に並んでいる素焼きの植木鉢を指して言った。「ああいうのを集めて10個100円で売っているんですよ」。

主にアフリカの業者に売るという。近くにあるベンチもアフリカへ持っていけば売れる。だが、ハンが引き取った品物の大半はフィリピン行きだ。「向こうの人たちは日本製品が大好きですから」。

日本製品の品質の高さには昔から市場価値があった。「メイド・イン・ジャパン」でなくても、日本で使われているというだけで、そこに価値を見出す人たちがいるぐらいだ。「リサイクル通信」編集長の浜田は言う。「たとえ中国製であっても、日本で使われているなら、いい物だろうと、よその国の人たちは考えるのです」。

その傾向は、とりわけ東南アジアで顕著だ。東南アジアの国々では地理的、文化的に近いことから日本製品はおおいに人気があるが、個人所得が低いので新品にはなかなか手が届かず、代わりに中古品が重宝される。

いまだ日本製の市場価値は高く……

日本の中古品業者は過去20年にわたり、東南アジアへ事業を広げていった。2018年7月現在、日本国内で47店舗を展開する古着チェーン「ドンドンダウン オン ウェンズデイ」は、カンボジアに10店舗を構えている。「ブックオフ」は、日本の中古製品だけをそろえた大型店舗を、この1年半ほどの間に3店舗、クアラルンプール市内に開店した。

中古品を扱う日本の卸売業者は、東南アジアへ向けて、貨物コンテナを毎年何千台も出荷している。日本最大の中古品輸出業者「浜屋」は、2017年だけでも海外へ2465台のコンテナを出荷しているが、その主な買取先は東南アジアだ。

それぞれのコンテナには通常3~5トンの中古品が納められており、自転車をはじめ、手動・電動式の工具（中古のチェーンソーは森林の多いカンボジアで大人気だ）、オーディオ機器、冷蔵庫からミキサーにいたる家電製品など、じつに多くの品目にわたっている。

中古品市場でも中国製が強力なライバルに

村岡哲明（67）は、神奈川県大和市の道路脇で、中古品の買い取り・処分業「村岡商会」を営んでいる。元はガソリンスタンドらしき場所で営業する彼の店の中から、小型冷蔵庫やパナソニックのオーブンなどがフォークリフトで運び出されていた。

フォークリフトは、家電製品や家具を積み込んだ貨物コンテナの扉口で止まった。午前中に満載となったコンテナはフィリピンへ向けて発送される。

ハンは村岡商会の駐車場にシルバーのセダンを乗り入れた。ハンは村岡のお得意様のひとりだ。2人は和やかに挨拶を交わす。

ハンと村岡が話している間、外では作業員たちがコンテナの扉を閉めていた。「フィリピンのマーケットも永遠に続きはしない」とハンは言う。「生活水準が上がるにつれて、新品を欲しがるようになります」。

同じことは前にもあった。かつて日本の中古品の主要な送り先だったタイだ。同国が豊かになるにつれて、中古品市場はしだいに縮小していった。

「次はたぶん、カンボジアですね」と、ハンは言う。

リサイクル通信の浜田も、途上国の所得の上昇によって、日本の中古品業界が長期的課題に直面していることを理解している。加えて、彼女がもっと懸念しているのは、低価格の中国製品が、途上国の中古品市場で日本製の強力なライバルになりはじめていることだ。

途上国の所得上昇と「メイド・イン・チャイナ」の台頭――この2つのトレンドが相まって、長期的には、ハンが日本の高性能の焼却炉に放り込まなくてはならない品物の数が増えることになりそうだ。

たとえ買い手がなくても、日本が高齢化の一途をたどるなか、ハンの会社が引き取る遺品の量が減っていくことはないだろうから。

「人間より人形が多い」限界集落
——日本の過疎化

The New York Times

徳島県・祖谷渓附近に集落はある
Photo：Ippei Naoi/Getty Images

«There Are No Children Here. Just Lots of Life-Size Dolls»
The New York Times 19/12/17, Text by Motoko Rich
「『人間より人形が多い』日本の限界集落の幸せのかたち」

COURRIER JAPON 20/1/17

徳島県三好市にある過疎の集落・名頃は、カカシの数が住民数をはるかに超えることで一躍名を知られるようになった。米紙「ニューヨーク・タイムズ」の記者が現地を訪問し、集落存続の希望を人形に託した住民たちの声を取材した。

徳島県の山間の集落・名頃で、最後の子供が生まれたのは18年前のことだ。現在、わずか20人強の住民がこの辺境の地で暮らしている。村の小学校は、最後の生徒が6年生を修了した２０１２年に閉鎖された。

だが、ある晴れた秋の日曜日、綾野月美はその学校を生き返らせた。人形の力を使って。

「かつての住民」を演じるカカシたち

綾野は日本の重要な年中行事である「運動会」を再現するため、閉鎖された学校の敷地に40体を超える手作りの人形を配置した。実物大の子供の人形が、徒競走をしたり、ブランコに座ったり、ボールを投げたりしている。

「この集落で子供を見ることはありません」と綾野は言う。彼女は名頃で生まれ、過去7

年間にわたり毎年開催されている「人形祭」の演出をしてきた。

「名頃にもっと子供がいたらなあと思ったんです。生活がもっと明るくなるなあって。だから、子供の人形を作ったんです」

日本では少子高齢化が急速に進んでいる。雇用機会の減少と不便な生活様式のせいで出生率が低下の一途をたどる農村ほど、それを実感する場所はない。かつては名頃にも診療所やパチンコ屋や食堂があった。だが、いまは一軒の店もない。

「ここには若者のためのチャンスがありません。仕事がありませんから」と綾野は言う。

綾野と彼女の友人らが製作した約３５０体の人形は、いまでは人間の住民の数を上回り、その比率は10対1を超えている。

彼女は名頃の集落全体に、人形を飾っている。人形は木材とワイヤフレームで作られており、なかには新聞紙が詰められている。人形たちは日本中から寄付された古着を着て、かつてこの村に住んでいた住民を想起させるような生活シーンを演じている。

ある年老いた女性の人形は道端にある墓の手入れをし、別の女性の人形は車椅子に座って休んでいる。

休憩中にタバコを吸っている建設作業員や、バス停に並ぶ人形もある。父親の人形は子供の人形を一杯に乗せた荷車を引いている。いたずらっ子の人形は、木をゆすって栗を落としている。

学校では、人形が階段の吹き抜けでウロウロしたり、「永遠の講義」をしている教師の話を聞いたりしている。綾野は、多くの人形にいたずらっぽい振る舞いをさせて、遊び心のある感じに仕上げている。

人形に支配された集落の印象は、当初予想していたような、不気味なものではなかった。取材中に出会ったフランス人ファニー・レイノーも、「気味が悪いとは思いません」と話す。

看護師のレイノーは夫とバイクで日本中を旅しているところだった。彼らは名頃の人形について書かれた旅ブログを読んで、名頃に立ち寄ったのだという。

「村を再び生き返らせるには、素晴らしい方法だと思います」とレイノー。

だが、学校の教室の黒板には辛辣(しんらつ)なメッセージを残している訪問者もいた。

「生きている人間はどこにいますか?」

8億円の校舎に生徒は38人

杉に覆われた秘境・祖谷(いや)渓に位置する名頃は、決して広くはない。綾野の子供時代でさえ、人口はわずか300人ほどだった。

1950〜60年代、この地域は林業や道路建設、水力発電用のダム建設で栄えていた。だが、ダムが建設されると多くの住民がこの村を去った。スーパーマーケットや病院に行くには、狭く曲がりくねった道を1時間半かけて運転しなければならない。

「ここで暮らすには、山での生活が本当に好きでないと」と、名頃で最も若い住民マツウラ・タツヤ(38)は言う。

マツウラは、名頃から約10キロメートルの距離にある剣山(つるぎさん)の登山者向け宿泊施設の3代目だ。だが、3年前に彼は経営していた宿泊施設と雑貨店を閉めた。

東京大学の客員教授で元岩手県知事の増田寛也は、日本の過疎化の現状を次のように説明する。

「もし私たちが過去10〜20年間歩んできたのと同じ道を行くのであれば、農村は減り続け、人々は都市に流入し続けるでしょう。そうなったら、多くの地方共同体がいずれは消滅します」

名頃の住民の40%以上が65歳以上だ。育児補助金、医療費の割引、住宅支援があるにもかかわらず、この地域はUターン・Iターンを増やすことができなかった。

地元の地方自治体は複数の学校を統合し、新しい校舎の建設に800万ドル(約8億8000万円)以上の資金を投じた。だが、学校に在籍する生徒数はたった38人だ。

ほとんどの生徒はもっと大きな町の高校に通う。そして、進学や仕事のために完全にこの地域を離れるのだ。東祖谷小・中学校の校長ムカイ・ヒロミは、この状況について次のようにコメントした。

「生徒たちには、自分の望む人生を選択してほしいと思っています。それは避けられないことですから」

「人形がいれば孤独じゃない」

4人の兄弟姉妹のなかで最年長の綾野は、父親が大阪の食品会社で職を得た12歳のときに名頃から引っ越した。彼女はそこで夫に出会って結婚し、2人の子供を育てた。

彼女の父は退職後、病弱な義理の父の介護と腎不全を患う妻の看護をするため、名頃に戻ってきた。そして16年前、綾野は名頃で最年長の住民である父親（90）の世話をするために故郷に帰ってきた。

彼女は自宅前の畑に大根とえんどう豆の種を植えた。鳥がその種を掘り起こしたので、彼女は父の姿に似せた「カカシ」を作った。

「そのカカシは、本物の人間のように見えました。だから、鳥避けにすごく効果があったんです」

彼女は、畑の草むしりをする女性の人形を3～4体追加した。するとあるとき、通りがかりの旅行者が人形に道を尋ねているのを目撃。それを愉快に思った綾野は、それから終日、人形を作りはじめた。

彼女はときおり、村の古い保育園につくった自分のスタジオや他の集落で人形作りを教えている。ある日の午後、綾野は高知県の土佐市から来た女性グループに、人形の眉毛にする布の角度を変えることで、怒った表情や優しい表情を作る方法を教えていた。縫い目を追加して、頬骨やシワを表現する場合もあるという。

他県から注文を受けることもある。妻をガンで亡くしたある医者は、綾野に妻の人形を2体作ってほしいと頼んだ。1体は居間に置き、もう1体を寝室に置くのだという。

綾野も、自分の車の助手席に祖母に似せた人形を置いている。食料雑貨店に行く1時間半のドライブ中に彼女はこう言った。

「私は決して孤独ではありません」

人形と一緒に綱引き

古い学校で運動会を開催する前日、綾野は大学のボランティアグループ、数人の住民、九州から来た彼女の妹と義理の弟に手伝ってもらって、運動会のさまざまな場面を製作した。

暗くなるまで綾野は人形の腕や髪、衣服を正しい位置に慎重に縫いつけていた。さらに夜通しの雨の後、彼女は夜明け前から作業を再開した。

運動会の開始時刻までに日が昇った。住民らは焼きそばやフライドポテト、たこ焼きを出す屋台を設置した。祖父母を訪ねたり、見物しに来たりした近隣の街の子供たちの姿も見えた。

地元の建設会社のオーナーであるツヅキ・オサムが開会の辞を述べる。

「住民、そして300体以上の人形を代表して、私たち全員が参加者のみなさんを歓迎します」

綱引きには住民と、綾野がロープに縫いつけた人形たちが参加した。人間の子供はあまりいなかったが、80歳代の競技参加者らは一生懸命に綱を引いた。

徒競走の後、山のふもとの介護施設で暮らすヤマモト・ヒロユキは、走るコースのひとつに置いてある人形の頬を撫(な)でた。

「とてもかわいいですね。私はこの子に話しかけたいと思っていたんです」

だが、名頃が住人よりも人形で知られるようになったことを悲しいと言う人もいる。綾野が作った人形のひとつに似た孫がいると話してくれたある女性は、運動会を見物しながら私にこう言った。

「もし人形が本物の人間だったら、名頃は本当に幸せな場所なのにね」

外国人労働者が日本社会を生きる困難

Le Monde

フィリピン・マニラで研修を受ける実習生

Photo：Veejay Villafranca/Bloomberg/Getty Images

«Dans la ville de Toyota, aux limites de l'intégration des étrangers au Japon»

Le Monde 21/7/29, Text by Philippe Mesmer

「仏紙が豊田市の“ある団地”に見た『日本の移民政策の限界』」

COURRIER JAPON 21/10/10

愛知県豊田市にある保見（ほみ）団地は、住人の約半数が外国の出身だ。その多くはブラジル人で、団地内ではポルトガル語が飛び交う。しかし現状では、こうした移民の社会的統合はあまりうまく進んでいないという。それはなぜなのか？　仏紙「ル・モンド」がこの団地を取材した。

やって来たのはいいけれど……

開いた窓の外には木々が茂り、その向こうにある、くたびれたコンクリートの威圧的な団地の建物は、さほど目に入ってこない。その窓から流れ込む空気が心地よかった。

ここは愛知県豊田市保見ヶ丘、保見団地の地域住民のための交流館だ。２０２１年７月、ここでＮＰＯ「トルシーダ」の会合が開かれていた。

小会議室の暗い色の壁には、カレンダーや地元の野球チーム「バッファローズ」の青いポスター、そして「努力」と書かれた紙が貼られている。日系ブラジル人の母親６名が、トルシーダ代表の伊東浄江（きよえ）を交えて、ポルトガル語で今夏の催し事の案を出しあっていた。

トルシーダとは、ポルトガル語で「応援」を意味する。この団体のおもな活動は、日系ブラジル人家族の日々の生活を支え、子供たちに日本語を教えることだ。

誰かが案を出したら、それはカラフルな付箋に書きこまれ、ボードに次々と貼られていく。「ヴィアジェム（旅行）」の枠で沖縄旅行が提案されると、みんなが一斉に笑い出し、午後の浜辺についての冗談が飛び交った。「エストゥダル（学習）」の枠では、小演劇の上演が提案された。

会合で通訳を務めるのは、この場にいるただ一人のバイリンガル、イゴール・アキヒト・コンドウだ。話し合いの末、催し事が決まった。8月14日に花火、8月28日にカポエイラ（ブラジルの武術）だ。

昼食の時間も近づいてきたので、片付けが始まり、解散となった。

伊東は言う。「片付けはきちんとしなくてはなりません。この交流館では、私たちは必ずしも歓迎されているわけではありませんからね。長い間、この施設を使えなかった時期もありました」。

通常、こうした施設は誰でも利用できる。だが、ここは最近まで、日本人しか利用できなかった。移民が日本で直面する苦労の一端が窺い知れる。

日本人は、いまだに日本社会を民族的に同質だと考えているところがある。だから、労働力として求められて日本にやって来たのはいいけれども、社会になかなか溶け込めていないと思われ、距離を置かれてしまう移民もいるのだ。

日系移民の子孫たちにビザを

1989年、日本の経済は力強く成長していたが、その頃から目立つようになったのが高齢化と人手不足だ。その原因は、1970年代の出生率の低下だった。

日本政府はその対策として、それまで在留資格のなかった人たちにビザを出すことを決めた。日本では1908年頃から、貧しい農民が政府に奨励されて、ブラジルやペルーなどの南米諸国に移住していった。その日系の子孫にビザを与えることにしたのだ。

日系人と呼ばれる人たちの多くはこのチャンスをつかんだ。日本に暮らすこうした日系人の数は、1990年の時点では4000人だったが、いまは22万人だ。そしてそのほとんどが、静岡県浜松市や神奈川県川崎市、そして冒頭の豊田市などの工業地で暮らしている。

豊田市は、もともとの地名は挙母(ころも)だったが、トヨタの城下町として1959年に地名が変更された。市内にはトヨタの工場が6ヵ所ある。下請け業者も多く、そうした業者が期間工として外国人労働者を雇うのだ。

そのような外国人労働者が集まって暮らすのが、豊田市の保見ヶ丘である。この地に暮らすミカ・アンジェラ・タシマは、2000年にサンパウロの南西に位置するクリチバから、夫とともに「お金を稼ぐため」に日本に来た。いまは自動車メーカーの下請け業者で働いている。

「暮らし方の違い」に戸惑う住民たち

保見ヶ丘の団地では、壊れた自転車や空き瓶がほったらかしにされた空き地を、灰色の高層の建物が囲む。もともとは1960年代、市街地から北に離れた土地に、トヨタで働く単身の労働者のために作られた団地だ。日本各地の鉱山の閉山に伴い、転職してこの地に来た元鉱山労働者が多かった。

日系ブラジル人が家族を連れてここに住むようになって、団地の日常は激変した。前出のトルシーダの伊東は言う。

「最初、日本人住民は、彼らも自分たちと同じ日本人なのだから、暮らし方も変わらないと考えていました」

だが、彼らはブラジル生まれだ。習慣は日本人とは異なる。駐車の仕方も日本人風ではなく、ゴミの分別もそこまで厳密でない。ベランダでバーベキューをすることもあった。団地ではそれまで、細かいルールを重んじるところがあった。だからブラジル人が暮らすようになると、日本人住民との間に軋轢が生じた。1990年代末には一騒動あった。街宣車が来て、窓の下から「出て行け」と怒声を響かせたのだ。

前出のイゴール・アキヒト・コンドウは当時を振り返る。「あの頃は、もうどうなってしまうのか不安でしたね。ガラの悪い連中とのケンカもありました」。

イゴールは3歳のとき、両親とともに来日し、15歳で学業を離れた。ブラジルに戻って暮らしてみた時期もあったが、それは「失敗」だったと語る。いまは滋賀県の小さな工場で働く。

外国人労働者に対する日本人の「誤解」

保見団地の住人数は8000人。そのうちの3700人が外国の出身だ（外国人の80%がブラジル人）。自動車の交通量はそれなりにあるが、平穏な街であり、あちこちから聞こえてくるのはポルトガル語だ。

街の真ん中にある「フォックスタウン」という商業施設には、「フォックスマート」というスーパーがあり、南米から輸入した商品が並ぶ。黒豆の棚の隣には、ブラジルコーヒーの「カフェピロン」の棚といった具合だ。階段を上れば、そこはレストランの「ランショネテ・チアア・ジョヨ」で、フェジョアーダといった伝統的なブラジル料理を食べられる。

レストランの向かいにあるのは「Xサポート・カンパニー」という会社だ。ここでは、仕事を探したり、公式書類の翻訳をしたり、ブラジルに残った家族に送金したりできる。どこを見ても看板は日葡2ヵ国語表記だ。

最近は日本人住民の態度も変わってきたという。「最初の頃は、店でものを尋ねても、そっけなく『わかりません』と言われたりしていましたが、いまはそれにくらべると、気持ちのいい対応をしてくれます」。

こう語るオデットは、２０００年代に日本で暮らした後、一度ブラジルに帰国したが、２０１９年に再来日を果たした。

とはいえ、住民の社会的統合が支障なく進んでいるかというと、とてもそうは言えない。保見ヶ丘の国際交流センターの代表を務める楓原（かえではら）和子は、残念そうに言う。

「彼らは保見ヶ丘の外に出ていこうとしないのです。日本語ができなくても暮らしていけるので、日本語を学ぶ意欲もなくなってしまっています」

学校も、子供たちの日本語習得に力を入れずに、ポルトガル語を話せる職員を雇う始末だ。保見ヶ丘に拠点を構えて研究を続けている社会学者の築山欣央（よしお）はこう語る。

「自治体には移民統合政策がありません。行政の担当者はどんどん交代していってしまうので、このテーマを深く掘り下げられる人がいないのです」

築山は保見ヶ丘で日本語を学びたがる奇特な人がいれば、日本語を教えているそうだ。

前出のトルシーダの伊東は言う。

「外国人労働者は単に出稼ぎに来ているだけで、やがて出身国に戻っていく。いまだに日本人のほとんどが、そんなふうに考えているのです」

外国人労働者の数は20年前の3倍に

2008年の金融危機の際、工場が最初に解雇したのが外国人労働者だった。外国人労働者の失業率は、危機前の5%から40%まで跳ね上がった。失業者になってしまった外国人は、資格もなければ、日本語も上手ではない。

そんな人たちが大量にハローワークに押し寄せたので、当時はちょっとしたパニックだった。帰国を金銭面で支援するプログラムを、行政が用意するほどだった。

こうした援助の手が差しのべられたのは、日系人だけではなかった。新型コロナウイルス感染症のパンデミックの際には、「技能実習生」として5年間、日本に滞在するつもりだったベトナム人などの東南アジアの若者が多数、職を失った。

散々な状態で帰国する人も多かった。借金をして日本に来たのに、返すお金もためられずに帰国する憂き目に遭った人もいた。

だが、外国人労働者が単に出稼ぎに来ていて、やがて本国に戻るという認識は、日本社会の現状とは食い違う。２０１９年末の時点で、日本全国にいる外国人労働者の数は１８０万人だ。20年前の3倍である。

日本で暮らす外国人３００万人の大半は、20世紀前半からこの国で暮らす中国人や韓国人だが、ブラジル人やペルー人も多い。近年は東南アジアや中央アジアの人の数もだんだんと増えてきている。

そのなかには、日本定住を考えている人も多いように見える。前出のイゴール・アキヒト・コンドウの両親は定年間近の会社員だが、保見団地からさほど遠くない場所に一戸建てを買ったという。

「そのときに35年ローンを組んでいますから、当分はここで暮らすつもりだということではないでしょうか」

「日本の**老舗**」の生存戦術
——創業1000年京都の餅屋に学ぶ

The New York Times

日本は老舗企業大国

Photo：Stephen Nesbitt photography/Getty Images

«This Japanese Shop Is 1,020 Years Old. It Knows a Bit About Surviving Crises»

The New York Times 20/12/2, Text by Ben Dooley and Hisako Ueno

「『コロナ禍の経営は“京都の餅屋”に学べ』——米紙が注目する『日本の老舗』の生存戦術」

COURRIER JAPON 20/12/27

世界に存在する創業100年以上の歴史をもつ企業のうち、なんと40％は日本企業だ。時代の変化を幾度も乗り越え、今日まで生き残ってきた日本の長寿企業に、パンデミックの今、学べることがあるのではないだろうか。米紙「ニューヨーク・タイムズ」が、彼らの経営の秘訣を探る。

京都の神社のそばで

長谷川奈生（なおみ）の一家は、京都の古く広大な神社のそばにある杉造りの小さな店で、あぶり餅を売っている。長谷川家は、疫病退散を祈るためにやってきた旅行者たちに茶菓を提供し、元気を回復してもらうためにこの家業を始めた——西暦1000年のことだ。

創業から1000年以上たった現在、新たな流行病がこの古い都の経済に大きな打撃を与えている。かつては確実に訪れていた観光客の数が激減したのだ。しかし、長谷川は店の財政状態を心配してはいない。

日本の多くの会社と同様、彼女の一族が続けてきた店「一和（いちわ）」（一文字屋和輔）は、状況を長い目で見ている。ただ、一和の場合、その視野はより長期的なものだ。利益と成長よりも、伝統と安定を優先することによって、この店は戦乱、疫病、自然災害、そして政権の盛衰を切り抜けてきた。その間ずっと、この店の菓子は変わることがなかった。

じつは「老舗大国」だった日本

このような企業は他国の企業に比べて、ダイナミックとは言えないかもしれない。しかし、その柔軟性は、新型コロナウイルスによって何万もの企業が倒産に追い込まれているアメリカのような国の企業にとって、学ぶべきものがある。

「経済の教科書には、企業は規模やマーケットシェア、成長率を拡大して、利益を最大化すべきだと書かれています。しかし、日本の老舗の経営理念は、これとはまったく異なります」。そう話すのは、龍谷大学の経済学部名誉教授、松岡憲司だ。

「こうした日本の企業がもっとも優先するのは、続けることです」と彼は言う。「各世代が、リレーの走者のようなものです。大切なのはバトンを渡すことなのです」。

日本は長寿企業の超大国だ。この国には、100年以上の歴史をもつ企業が3万3000社以上ある。東京に拠点をおく100年経営研究機構の調査によると、この数字は世界全体の合計の40％以上に当たる。さらに、日本には200年以上つづく企業が3100社以上ある。500年を超える企業は約140社。そして少なくとも19社が、西暦1000

年以前から継続して営業していると主張している。

一和をはじめ、こうした古い企業の一部は、その創業までの歴史をはっきりとたどることはできない。しかしその年表は、政府や学者たち、そして一和の場合は、道を挟んだ向かいにある商売敵(がたき)の餅屋からも認められている。

日本の老舗の経営戦略

「老舗」として知られる企業には、誇りと魅力がつまっている。地方自治体はその商品を売り込み、企業経営の本は、その成功の秘訣を説明する。そして、すべての旅行ガイドブックが、こうした老舗の紹介に大部分を割く。

これら古い企業のほとんどは、一和のように家族経営の小さな企業で、伝統的な品物やサービスを扱っている。しかし中には、日本でもっとも有名な企業も存在する。たとえば、任天堂は1889年に花札の製造から始まった。醤油ブランドのキッコーマンは、1917年頃に創業された。

1000年にわたって生き残るためには、企業はただ利益だけを追い求めることはできない、と長谷川は言う。企業はさらに高いレベルの目的をもたなくてはならない。一和の場合、それは「神社の参拝客をおもてなしする」という、宗教的な使命感だった。

こうした企業の中心的価値観は「家訓」として知られ、何世代にもわたり多くの経営判断を導いてきた。各世代の経営者は従業員の面倒をみて、地域社会を支え、誇りを抱かせる商品を生み出そうと努力してきた。

一和にとって家訓とは、ひとつのことに専心する、ということだった——これはビジネスにおける非常に日本的なアプローチだ。

一和は、経営拡大の機会を何度も退けてきた。最近では、ウーバーイーツからオンラインデリバリーをしないかというリクエストもあったが、断った。メニューはつねに「餅」ひとつであり、何か飲みたければ、選りすぐりのほうじ茶を出してくれる。

一和の歴史の大部分において、長谷川家の女性たちは店で出すあぶり餅をほとんど変わらない方法で作ってきた。店の地下に流れる湧水を使って米を炊き、餅を作って丸める。そしてそれを木の串に刺し、小さな鋳鉄製の火鉢の上でゆっくりとあぶる。餅の表面には甘い味噌が塗られており、冷めて固くなる前に、熱いまま提供される。

日本企業の破産率が低い理由

一方、一和が時代の変化に応じた点もある。地元の保健所によって、井戸水の使用を禁止された。台所の餅製造機は自動で米をついてくれるので、毎朝数時間の仕事が浮いた。

さらに、餅代の支払いは何世紀にもわたって、客が払いたいだけ払うシステムだったが、現在では一皿の定価を定めている。これは第二次世界大戦後、店が財政状況により気を配るようになってからのことだ。

とりわけ長い歴史をもつ日本の企業は、リスクを嫌悪し、多額の現金を手元に蓄積していることが多い。これは日本の企業に共通する特徴だ。

パンデミックにあっても、日本がアメリカのような高い破産率を回避できている理由の一部はここにある。

「ある程度の利益をあげた」ときですら、「これらの企業は資本支出を増やしません」とゴールドマン・サックスのアナリスト、太田知宏は説明する。

特に大企業は、経済の停滞や危機においても給料の支払いを続け、その他の財務上の義務を果たせるよう、かなりの蓄えを確保している。中小企業ですら負債の水準は低く、平均して1～2ヵ月分の操業費用が手元にある傾向が強い、と太田は話す。

企業が支援を必要とした場合、融資は低金利かつ容易に利用できる。日本ではここ数十年にわたって金利が低く、パンデミックにより導入された政府の緊急経済対策は、ほとんどの小規模事業者に対して金利を実質ゼロにした。

「変化」と「伝統」の両立

小規模の老舗は自ら設備を保有していたり、人件費を抑えるために家族がビジネスに携わったりすることが多く、それによって現金を蓄えられる。

日本経済大学大学院の特任教授で、100年経営研究機構の代表でもある後藤俊夫は、2020年夏、100年以上の歴史をもつ企業について調査を実施した。その結果、4分の1以上の企業が、今後2年以上にわたって経営を続けるのに充分な資金があると答えた。

だからと言って、こうした企業がある時点で変化しなくなるということではない。多くの企業は、日本が外の世界から国を閉ざし、ビジネス環境が安定していた17世紀初頭以降、200年の間に創業している。しかし、ここ100年のうちに、「伝統の維持」と「市場への適応」のバランスをうまくとらなければ、彼らが生き残ることはますます難しくなった。

自分たちのメイン事業を時代に合ったものにすることで、これに対応した企業もある。1560年に鉄製のやかんなどをつくる鋳造業として創業したNBK（鍋屋バイテック会社）は、現在はハイテク機械部品を製造している。332年の歴史をもつ京都の着物メーカーの細尾は、インテリアや電子機器にまでビジネスを拡大している。

だが、時代についていくことが難しい企業もある。田中伊雅仏具店のように、基本的に伝統そのものを売っている場合は特にそうだ。

同社は885年以来、京都で仏具を製造しており、70代目の社長である田中雅一が冗談交じりに、「仏壇のメルセデス・ベンツ」と呼んだ製品で有名だ。

パンデミックは「厳しい」と彼は言った。しかし、同社をはじめとする多くの企業が直面している最大の課題は、日本の高齢化社会と人々の嗜好の変化なのだ。

伝統を維持する難しさと重圧

後継者を見つけられずに廃業した企業もある。田中にとっては、技術のある職人の後継を見つけるのが、ますます困難になっている。彼が仏具を納めている寺院に行く人の数が減少しているため、ビジネスは縮小している。さらに、今の時代、新しく建てられた家に仏壇をおける場所があることは滅多にない。

宗教的な伝統になると、革新の余地はほとんどないと田中は言う。彼の製品のデザインの多くは、創業当時からほとんど変わらない。彼は3Dプリンターの導入を検討してきたが、それでつくられた仏具を買う人がいるのかと疑問に思っている。

幸運なことに、一和にはこのような心配はない。家族は大きく、事業は小さく、餅をあぶるのに必要な特別な技術といえば、焼けつくような熱さへの耐性だけだ。

だが60歳になる長谷川は、店の歴史の重圧を感じることもあると言う。この事業が生計に多くをもたらさなくても、家族の誰もが幼い頃から「私たちの誰か一人が生きている限り、店を続けなくてはならないと言い聞かせられている」と彼女は言う。

「私たちが店を続ける」理由のひとつは、「私たちは皆、店を終わらせた人に自分がなることを嫌っているからです」と彼女は言った。

ヤクザ稼業から足を洗った男たち
——極道「大量離脱」の理由

The Washington Post

警察による暴力団取り締まりも強化されている（工藤会総裁宅の家宅捜索、2012年）

Photo：朝日新聞

«As Japan's yakuza mob weakens, former gangsters struggle to find a role outside crime»

The Washington Post 21/10/17, Text by Michelle Ye Hee Lee and Julia Mio Inuma

「米紙が見た『ヤクザ稼業から足を洗った男たちのいま』」

COURRIER JAPON 21/11/16

米紙が日本の極道の世界で起きている大きな変化に注目。組織を離脱後、さまざまな道をたどった元ヤクザたちを取材し、暴力団員が激減している背景と社会復帰の現実について聞いた。

工藤会の幹部からうどん職人へ

うどん職人の中本隆（55）は、特製のうどんを手際よく茹で、湯切りをし、盛り付ける。あまりに無駄のない動きのため、彼の過去をまざまざと物語る傷跡には気づきにくい。欠けた左手の小指のことだ。

中本の過去とは、暴力団の工藤会に30年以上所属し、幹部にまで上りつめたこと。そのヤクザの世界に別れを告げた中本は今、工藤会が拠点を置く福岡県北九州市でうどん店を経営している。

工藤会はかつては強大な組織だったが、暴力団の取り締まりが厳格化されたことによって縮小している。中本と同じように足を洗った構成員も多い。

彼らは、忠誠心に基づく厳しい「掟」によって統制され、家族のような上下関係のあるヤクザの世界を離れて、生き方を変えようとしているのだ。

ただし、元ヤクザは全身に入れ墨をしていたり、けじめとして小指が切断されたりしているため、社会で目につきやすい。

暴力団は長年、やや公然と活動していた。ヤクザは自分たちの縄張り内で軽犯罪は犯すが、一般市民には手を出さない——警察はそういう理解のもとで暴力団を監視していた。

だが今、勢力の衰えが見え始める暴力団に、当局はさらなる圧力をかけている。

２０１５年、最後の刑期を務めていた中本は出所後について考えた。組織とその将来に対する信頼はもう失っていた。去るべき時が訪れていたのだ。

「ヤクザの世界からは離れましたが、学んだことはたくさんあります。根底にあるものには変わらないものもあります」と中本は言う。

「組織のためには何でもして、命を投げ打つ覚悟でした。今は切り替えて、同じ信念を普通の社会で生きること、働くことに注いでいます」

とはいえ、反社会的勢力とされ、法的にも大きな障壁がある元ヤクザが普通の生活を手に入れるのは簡単ではない。社会復帰を経済的に支援する政府の取り組みもあるが、たいてい扉は閉ざされている。

暴力団トップに初の死刑判決

じつは、日本の暴力団の構成員数は激減している。暴力団による麻薬密売やマネーロンダリング、違法賭博などに対するここ10年の取り締まり強化の結果だ。

全国暴力追放運動推進センターによると、暴力団構成員（準構成員等を含む）の数は2011年の約7万3００人から、２０２０年には2万５９００人にまで減少している。その結果、中本のように長年所属した構成員も、忠誠に背いたことへの報復を恐れずに組織を離れることが可能になった。

２０２１年の夏には象徴的な判決も下された。8月24日、福岡地裁は工藤会総裁の野村悟被告に対し、暴力団トップでは史上初とされる死刑判決を言い渡したのだ。野村は、殺人事件1件を含む4つの市民襲撃事件に関与したとして有罪となった。

この判決は、暴力団にとっての時代の変化を広く知らしめるものだった。

「暴力団に対する制約や規制全般の厳格化が今後も進むという意味で、ヤクザの世界に影響を与えたと思います」

そう語るのは、元暴力団構成員で、半自伝的小説の執筆や日本の犯罪組織を題材にした映画の監修をしている沖田臥竜（がりょう）だ。

「死刑判決という前例ができたことで、工藤会が極端なケースなのではなく、すべての暴力団が同じ脅威として見られるようになるでしょう」

早期引退と「大量離脱」の理由

日本全国の自治体で、一般市民が暴力団と関わることを禁じる条例が施行されたのは、いまから10年ほど前のことだ。暴力団の活動が大胆になり、経済的にも強大になっていたために、ヤクザや彼らの活動に企業や個人が関与することが禁止されたのだ。

こうした条例の目的は暴力団を社会から孤立させることだったと、暴力団に詳しい犯罪社会学者の廣末登は説明する。暴力団構成員は銀行口座の開設や、住居の賃貸契約、保険への加入、携帯電話の契約もできなくなった。

日本最大規模の暴力団である山口組二次団体を２０１４年に脱退した前出の沖田は、取り締まりによって構成員の家族も行動が制限されるようになったと話す。

こうした変化により、年配のトップは早期に引退し、構成員の多くが離脱した。「この条例がヤクザの世界に多大な影響を及ぼしました」と沖田は言う。

しかし、その変化によって暴力団以外の犯罪組織が拡大したと、法務省の保護司でもある廣末は指摘する。そうした犯罪組織は、高齢者を狙った詐欺やサイバー犯罪、睡眠薬やモルヒネなどの合法薬物から利益を得るなど、新たな手法に移行しているという。

「日本の裏社会は今、新たな局面を迎えています」と廣末は言う。

足を洗っても5年以内に元の道へ

組長の引退に伴って2011年に工藤会から離脱した元構成員のナカミゾ・モトヒサ（56）は、家業の不動産会社で働きはじめた。工藤会で約30年にわたり麻薬密売に関わっていた彼にとって初めての真っ当な仕事だった。

だがナカミゾは恵まれているほうで、元暴力団構成員にとってこうした機会はめったにない。都道府県条例などにより、組織を離脱しても5年間は銀行口座の開設や賃貸契約などができないからだ。

警察に離脱を届け出た元構成員に関する法務省の雇用統計を廣末が分析したところ、2010〜18年に離脱した人のうち就労した人は3％にも満たなかった。廣末によれば、仕事が見つからない人のなかには、暴力団に戻ったり別の犯罪組織に加わったりする人もいる。

「刑務所や暴力団組織から出ても、最初の5年間は他の人とは違うのだと思い知らされます。『ゼロから始める』とよく言いますが、私たちはマイナスから始めてゼロに向かっているんです」と、ナカミゾは博多にある職場で語った。

ナカミゾは現在、法務省の取り組みの一環で元暴力団構成員を自らの不動産会社で雇用している。

しかし、最初の5年間を乗り切れるのは1割程度で、それ以外はたいてい犯罪の世界に戻ってしまう。

「社会全体が偏見を持たずに、彼らにチャンスを与えてほしいですね」とナカミゾは言う。「そうでなければ彼らは行き場を失い、誤った道を歩むことになります」。

多くの元構成員は、克服が困難な教育のギャップに直面する。甲村柳市は38歳のときに山口組を離脱した。中学までの教育しか受けておらず、4度の服役を経験した。

「人生をやり直したかったんです」と甲村は言う。しかし、安定した仕事に就ける見込みは薄かった。法律に興味はあったが、元ヤクザが弁護士として開業できる可能性はゼロに近かった。

そこで、司法書士の試験に挑戦することを決めた。合格率は3％。8年間勉強を続け、7回目の受験でようやく合格した。46歳の時だった。

元ヤクザを受け入れた商店街

いまから20年前、工藤会の構成員が北九州の日本茶店に車で突っ込んだ事件があった。

工藤会が手に入れたがっていた建物を購入した店主・辻利之への復讐だった。うどん職人の中本が辻の店がある商店街にうどん店を出そうとしたとき、彼はまだ離脱から5年も経っておらず、不利な状況にあった。

しかし、中本は他の店主らとの関係を築き、工藤会での過去を正直に話し、道端のゴミを拾い、商店街の祭りやイベントに参加した。

「制約があるからといって、5年経つのを待っているだけでは何も変わりません」と中本は言う。「人が助けてくれるのを待つのではなく、先に手を差し出さなければならないのです」。

感心した辻は、賭けてみることにした。商店街を率いる辻は、中本のうどん店の開店を受け入れた。

「たとえ元暴力団員でも、私のところにやってきたら、まず話をして、心からやり直したいと思っているのか、本気なのか、その目を見て確かめます」と辻は言う。「働くという基本的な自由は誰もが持っています」。

ある平日、美容院とコインランドリーに挟まれた全13席の中本の店には、昼食をとる客がひっきりなしに訪れていた。中本は今も商店街の祭りに参加し、道路の清掃をしている。

仕事中は黒の長袖シャツで入れ墨は見えないが、中本は自分の過去を隠そうとはしない。店の壁には中本を取り上げた新聞記事が掲げられ、トイレには専業主夫になった元ヤクザが主人公の漫画が置かれている。

第４章　若者事情

なぜ日本の若者は「内向き」になってしまったのか

The Economist

羽田空港

Photo：Stanislav Kogiku/SOPA Images/LightRocket/Getty Images

«Few young Japanese want to study or work abroad»

The Economist 21/2/4

「英誌が分析『日本の若者の“海外志向”はなぜこれほど弱くなってしまったのか』」

COURRIER JAPON 21/3/7

パンデミックにより海外へ行きにくい日々が続いているが、長期的に見れば、この10年で留学する者の数は世界全体で大幅に増加した。しかし一方で、日本からの留学者数は減少の一途を辿る。その理由は何か？　英誌「エコノミスト」が分析した。

たったの「4％」

サイトウ・チヒロとサイトウ・セイカは共通点が多い。2人は双子だからだ。26歳の彼女たちは、東京の北部でともに育った。ハリウッド映画への情熱など、共通する趣味嗜好も多い。

しかし、彼女たちは別々の道を進むことになった。チヒロは薬学を学ぶためにハンガリーの大学に進学し、セイカは芸術を学ぶために日本の大学に進学したからだ。

「私はいつも外の世界に興味がありました」とチヒロは言う。セイカも同じく、海外で学ぶことを考えてはいたが、最終的には日本に残った。

「日本で学べることはたくさんあります」とセイカは言う。「それに、自分が本当に海外で生活できるのか、自信がありませんでした」。

日本では、海外で挑戦することにほとんど興味のない「内向きな若者」の数が増加している。そしてこの事実が、近年、日本のジャーナリストや政治家、ビジネスリーダーたちを驚かせている。文部科学省によると、全大学生のうち、海外で学ぶ学生はたったの4％しかいないという。

政府が2019年から実施した別の調査によれば、留学したいと考える日本人の若者はわずか3分の1に留まり、韓国の66％、ドイツの51％に比べると非常に少ない。

同様に、日本人は海外で働くことについてもあまり積極的ではない。産業能率大学の調査によれば、「海外で働きたくない」と答えた日本の若い会社員の割合は、2007年には36％だったのに対し、2017年には60％だった。

海外に行くメリットは「ほとんどない」

この内向きな傾向は、大きな変化の兆しだ。1980年代後半から2000年代初頭にかけて、海外で学位を取得したいという日本人の数は急増した。円高のおかげで、奨学金やローンに頼らずとも、多くの日本人が留学できたのだ。

日本の大手銀行は、毎年、何百人もの従業員をアメリカのビジネススクールに派遣した。「ハーバードでは、同じ教室に多くの日本人がいたものです」。大阪成蹊大学の経営学部国際観光ビジネス学科教授で、ハーバード・ビジネススクールで学んだ平賀富一は、当時を振り返ってそう話す。

現在、中国人やインド人の留学生の数は、日本人のそれをはるかに上回っている。理由の一つは、日本の強力な労働市場だ。パンデミックが起こるまでの3年間、失業率は3％以下に留まっていた。そしてパンデミックが始まると、海外で働いたり留学したりすることは、非現実的なものになってしまった。

新卒の学生が容易に職を見つけることができる日本では、海外で学んだり働いたりすることのメリットは「ほとんどない」——そう話すのは、東北大学国際戦略室教授の米澤彰純だ。

「ある意味では、日本の労働市場の構造には、学歴にもとづく差別がないと言えます」と彼は話す。いずれにしても、海外で学位を取得した者と、日本の大学を卒業した者の間に、給料の差はほとんどないのだ。

同様に、海外で働いた経験はほとんど待遇に反映されない。その代わり、多くの企業が社員の「日本人らしさ」を重んじていると嘆くのは、国際基督教大学（ＩＣＵ）教授の加藤恵津子だ。

海外での経験は、もはや昇進のチャンスを後押ししてくれるようには思えない。海外支社で働くよりも、日本国内で転勤をくりかえしたほうが、昇進が早いことすらあり得るのだ。

国や企業にとっては心配の種

外の世界に対する恐れゆえに、若者たちは海外に行くことを思いとどまる。彼らの多くが「英語アレルギー」、つまり英語などの外国語を話すのが恥ずかしいという思いを口にし、日本の外に出ないことの理由にする。

彼らの不安には根拠がある。語学教育や教育交流を専門とする会社「ＥＦ」の報告によると、日本は英語能力ランキングで低い順位にあり、隣国の韓国よりも下位にいるのだ。

アーティストのサイトウ・セイカは、別の言語で学ぶことに不安を抱いていた。「私はチヒロほど英語の能力に自信があったわけではありませんでした」と彼女は言う。日本は世界でもっとも便利で安全な国ということも、彼女の選択を後押しした。

日本に留まり続ける若者が増えることは、政府にとっては困った問題だ。というのも、日本政府は、国際社会でより積極的な立場を担っていきたいと考えているからだ。

「日本は遅れをとっており、その衰退に気づいてすらいない」と平賀は話す。彼は、日本のアジアや世界での影響力が衰えつつあると考えている。企業にとっても、それは同じだ。国際的な若者をあまり採用しないことは、海外でビジネスをするという野望から遠ざかることを意味する。

「他の国々では、海外に出る人口は大幅に増えており、彼らを援助する動きがあります」と米澤は言う。「日本もその波に乗らなければなりません」。

科学技術分野の女性比率が低い理由

The New York Times

デジタル化に女性の活躍は欠かせない

Photo：Yuichiro Chino/Getty Images

«Japan Needs a Lot More Tech Workers. Can It Find a Place for Women?»

The New York Times 21/9/1, Text by Malcolm Foster

「エンジニア不足の日本は、女性に活躍の場を作ることができるか？」

COURRIER JAPON 21/9/19

少子高齢化が進み、労働人口が減少している日本が競争力を保つためには、デジタル化を一気に推進する必要がある。そのためには、IT分野における低すぎる女性比率を是正することが不可欠であると、米紙「ニューヨーク・タイムズ」は指摘する。

女性比率は先進国で最低クラス

もし松本杏奈が、「質問ばかりして授業を中断させるな」という先生の言うことに従っていたら、自分の好奇心を抑えつけてしまっただろう。そして、15歳で日本の高校卒業後の進路選択を迫られたときも、科学は避けていただろう。男性教師に「女子には難しい分野だ」と忠告されたからだ。

しかし現在、松本はエンジニアを目指している。日本には彼女のような若い女性がもっと大勢必要だ。

ハイテクなイメージと巨大な経済規模とは裏腹に、日本のデジタル化は遅れており、旧来の紙文化が根強く残るオフィスでは、ファックスやハンコがまだ普通に使われている。

そんななか、パンデミックの影響で、デジタル化の促進に拍車がかかり、菅義偉首相が旗振り役を務めるデジタルトランスフォーメーション（ＤＸ）が加速している。２０２１年９月１日に発足したデジタル庁もその一環で、政府の悪名高い劣悪なオンラインサービスの改善を目指している。

デジタル化の実現には、技術者や工学系学生の深刻な不足に対処する必要があるが、女性の該当者がほぼ皆無であることで、事態の深刻度は増している。ユネスコのデータによると、日本はＩＴ分野の労働者を輩出する大学の課程に女性が占める割合が、先進国の中で最も低い国のひとつだ。また、科学技術分野の研究者に占める女性の割合も最下位クラスである。

この状況を改善できるかどうかは、ひとつに日本社会が「テクノロジー分野は男性限定の領域」という固定観念を払拭（ふっしょく）できるかにかかっている。この偏見は漫画やテレビで強化され、一部の家庭にも定着し、娘が科学者やエンジニアになると結婚できなくなると心配する親もいるほどだ。

松本が言うように、女性をテクノロジー分野から遠ざけるのはもったいないし、不合理でもある。18歳の松本は、今秋スタンフォード大学に入学を予定しており、ヒューマン・コンピュータ・インタラクション（ＨＣＩ）を学ぶつもりだという。「世界の人口の半分は女性です。もし男性だけが世界を変えているとしたら、あまりにも非効率的です」と彼女は言う。

少子高齢化が進み、労働人口が減少している日本に、人材を無駄にする余裕はない。経済産業省は、２０３０年までに国内で45万人のＩＴ技術者が不足すると予測する。そしてこの状況を、世界第3位の経済大国である日本の前に立ちはだかる「２０２５年の崖」問題と関連づけている。

スイスの国際経営開発研究所が発表した「世界デジタル競争力ランキング２０２０」では、日本は世界27位、アジアではシンガポール、韓国、中国などに次ぐ7位にとどまっている。

現在のデジタル化促進の動きは、女性の地位向上につながる可能性がある。しかし、逆にいっそう地位が低下する恐れも否定できない。

6月に発表された、２０２１年の「ユネスコ・サイエンス・レポート」によると、低スキルの仕事が自動化されれば、世界的に女性は男性よりも不利な立場に置かれるという。急速に需要が高まる人工知能、機械学習、データエンジニアリングなどの分野では、女性がスキルを身につける機会も減少していると、同レポートは指摘している。

「デジタル化によって消滅する仕事もあり、その影響を受けるのは、おそらく男性よりも女性の方でしょう。つまり、デジタル化はチャンスであると同時に、危機でもあるのです」

そう語るのは、元リコーのソフトウェアエンジニアで、現在は千葉商科大学の副学長を務める橋本隆子だ。彼女はＧ20（20ヵ国財務相・中央銀行総裁会議）に対して女性問題に関する政策提言を行うＷ20（Women 20）の代表でもある。

日本には技術者を目指す女性を支援する公的プログラムが皆無に近い、と橋本は指摘する。そして、育児休業後の職場復帰を希望する女性向けに、政府が技術系の再教育プログラムを設けるべきだと提案している。他にも、科学や工学を学びたい女子学生を対象とした奨学金制度を設けるべきだとの意見も出ている。

「政府はこの問題にリーダーシップを発揮する必要があります」と橋本は主張する。「政府は、これまでのところデジタル化と男女共同参画を結びつけて検討していません」。

日本社会に根づく偏見

航空宇宙エンジニアの伊藤美樹（38）は、10代で宇宙に魅了されるようになったとき、日本初の女性宇宙飛行士である向井千秋以外、ロールモデルがいなかったと語る。大学でも大学院でも、伊藤の所属した航空宇宙工学科の学生は９割が男性で、教授陣も全員男性だった。

地球軌道を周回するスペースデブリ（宇宙ゴミ）の除去を行っているアストロスケール社でゼネラルマネージャーを務める伊藤は、学校でも仕事でも性別による差別を受けたことはないと言う。

しかし、女性は「論理的でも数学的でもない」という思い込みをはじめとする、日本社会に根づく数々の偏見を目撃してきたとも語る。

その原因はポップ・カルチャーが創出したイメージにあると伊藤は言う。「悪者と戦うとき、男の子はロボットを使いますが、女の子は魔法を使います。なぜその逆をあまり見かけないのか、不思議に思ってきました」。

伊藤は、日本のデジタル化が進むにつれて、日本女性の運命は複雑化するだろうと予想する。

「40代以上の女性は取り残されるかもしれませんが、それより若い女性は新たな機会から恩恵を受けるでしょう。今日の若者がデジタル・ジェンダー・ギャップを縮めてくれると思いますが、時間はかかるでしょうね」

若者が将来のデジタル化に備えられるよう、日本政府は２０２０年に小学校でのコンピュータ・プログラミングの授業を必修化した。

つくば市でプログラミング教育の導入を支援し、授業を担当している教師の藤原晴佳は、女子と男子の間に熱意や能力の差は認められないと述べる。

15歳の段階では、国際的な標準テストにおける数学や科学の成績で、日本人の男女間に差はない。しかし、決定的な時期、つまり高校で理系か文系かの選択を迫られる時期になると、女子の数学や理科に対する興味や自信が急速に失われることが、調査やデータで明らかになっている。

これが、技術や科学における日本の「漏れやすいパイプ」――教育レベルが高まるほど女性の比率が減少する――の始まりである。この現象は多くの国で見られるものだ。しかし日本の場合、最後には雫(しずく)しか垂れないほど漏れがひどくなり、科学分野のトップ人材を輩出する大学院に至ると、女性はごく稀にしか見かけなくなるのだ。

ユネスコのデータによると、日本の工学系の大学卒業者に占める女性の割合は14%、自然科学系では25・8%である。一方、アメリカではそれぞれ20・4%と52・5%、インドでは30・8%と51・4%となっている。

このような傾向に変革をもたらし、10代の女の子たちに将来について語り合う場を作るため、理系出身の2人の女性、斎藤明日美と田中沙弥果が共同でワッフルという非営利団体を設立し、女子中高生向けに1日プログラミング学習コース「ワッフル・キャンプ」を開催している。

斎藤らは、テクノロジー分野に対するステレオタイプでマニアックなイメージを払拭するため、問題解決スキルや、コミュニティ活動、起業家精神の育成を重視したキャリア講義や実地体験を提供している。

「私たちのビジョンは、テクノロジー分野で女性をエンパワーメントし、教育を施すことで、ジェンダーギャップを是正することです」と、アリゾナ大学でデータ分析の修士号を取得した斎藤は語る。「私たちはテクノロジーをツールとして考えています。ひとたびツールを入手し、力を得ることができれば、世界にインパクトを与えることができます」。

ワッフルは、アプリ制作コンテストで23チーム、総勢75名の10代の女の子たちをサポートした。そのなかの一人が松本杏奈だ。松本は、3人のチームで「ハウスホールド・ヒーローズ」というアプリを提案した。このアプリは、家族で家事を分担し、仕事をやり遂げた人には、ポケモンのようなキュートなキャラクターにアイテムを追加することで、報酬を与えるというものだ。

松本は、「性別による家事分担には根強い固定観念があります。それを変えるために、このアプリを開発しようと決めました」と話す。

同様の文化的期待は子育てにも及び、多くの女性が出産を機に仕事を辞めている。そのため、リーダーシップを発揮し、技術革新に貢献する女性の数も少ない。

元ソニー社員のモス恵（45）も、「キャリアと家庭、どちらかを選択せざるを得ないと感じた」と打ち明ける。

モスは10年にわたり、やりがいはあるが多忙な仕事に従事し、夜中の12時直前の終電で帰宅して、明朝早起きして仕事に行くというサイクルをくりかえしていた。

投資銀行家であるアメリカ人の夫との子供を産むことに決めたのを機に、モスはソニーを退職した。しかし、娘を出産する数ヵ月前、彼女はオンライン・ビジネス「ケアファインダー」を立ち上げた。事前審査を通過したベビーシッターとのマッチングにより、女性の育児負担を軽減するサービスを提供するビジネスだ。

「社会の問題に取り組み、女性の負担軽減に役立っている実感があります」とモスは言う。「とてもやりがいのある仕事です」

スタンフォード大学への留学を控えた松本も、「日本の女の子や女性たちの人生を良くしたい」と思いを語る。

日本が押しつける文化的期待へのちょっとした反抗として、松本は高校卒業後、髪の毛を鮮やかなピンク色に染めた。日本の高校ではそれが禁止されていたからだ。アメリカの大学に進学しようと決めたのも、アメリカでは授業中に質問をしても怒られないと知ったためだ。

それでも、ゆくゆくは故郷の四国に戻りたいと松本は言う。「四国が嫌いだったからこそ、あえて戻り、女の子たちが私のように辛い思いをしなくて済む社会を作る手助けをしたいのです」。

「ひきこもり」当事者たちのいま

Atlas Obscura

「ひきこもり」についての誤解は根強い
Photo：朝日新聞

«Japan's Most Interesting Newspaper Is for Recluses, by Recluses»
Atlas Obscura 19/2/12, Text by Rohini Chaki
「海外メディアに“日本で一番面白い新聞”と評される『ひきこもり新聞』」

COURRIER JAPON 19/5/7

日本語の「ひきこもり」という言葉が喚起するのは、部屋に閉じこもり、ときに暴力的な、社会性を欠いた若者の姿だ。いま、こうしたセンセーショナルなイメージにうんざりした日本のひきこもりたちが、自分自身の物語を取り戻そうと、新聞というかたちで隠された実情を伝えはじめている。彼らの姿を、米紙「アトラス・オブスキュラ」が取材した。

メディアに作られたイメージ

カメラクルーが10代の息子の部屋に近づくと、動揺した母親は彼らに向かって、静かに歩くよう身振りで伝える。衝立で塞がれた部屋の入り口には、カビ臭いゴミが積み重なっている。息子は入浴しないのかとインタビュアーが尋ねると、母親は涙をこらえようとする。半年に一度、と彼女は答える。

2002年、BBCの「行方をくらませた100万人の謎」というドキュメンタリーは、日本において「ひきこもり」と呼ばれる、社会を捨てて暮らす人々の窮状を明らかにした。

ひとりぼっちでテレビゲームをする、怒れる10代の若者たち。ひきこもった子供から受ける身体的暴力について、カメラを向けられていないときに語る、羞恥を感じる親たち。そして、精神を病んだひきこもりが誘拐や殺人を犯したというニュース。

このような描写や報道は、自らを閉じ込めながら生活する100万人以上の日本人に関して、ひどくバランスを欠いたイメージをつくりだした。そもそもこの数字自体、誇張されたものかもしれない。

こうした描き方は今日でも続いている。1月には、韓国のポップスターであるバン・ヨングクがシングル『Hikikomori』をリリースし、ヒットさせた。彼はこの曲で、紙切れや壊れた家具で散らかった部屋の薄暗さと孤独について、苦悩の調子を強めながら歌っている。

「とても罪深いことです」

時期を同じくして、BBCニュースは日本のレンタルお姉さん・お兄さんについてのドキュメンタリーを公開した。閉じこもっている人々のもとにソーシャルワーカーを派遣し、部屋の外に出るよう説得を試みる、年間8000ドル（約88万円）規模の社会復帰計画だ。映像では、そうして派遣された女性のひとりが、ひきこもりに絞め殺されそうになった経験を語っていた。

多くのひきこもりにとって、こうしたひどいイメージは誤解や自滅を招くものだ。「(BBCは)世界に対して間違ったメッセージを発信し、深刻な過ちを犯しました」と、あるひきこもりはメールで説明してくれた(彼は名前の公表を望まなかった)。「とても罪深いことです」と彼は書いている。

ひきこもりたちは、閉じこもった生活を送る立場にありながら、自分たち自身のために声を上げなければならないという、特異な困難に直面している。

しかし、ここ2年以上の期間にわたり、現在ひきこもっている人々、および過去にひきこもっていた人々が、この誤ったイメージを修正することを狙いとした、あるユニークなプロジェクトに加わっている。

それは、自分たち自身の新聞の発行だ。この試みは、参加者たちがひきこもり状態から抜け出す足がかりとなる可能性を秘めている。


そもそも「ひきこもり」って何?

木村ナオヒロは東京出身の34歳の男性で、10年間のひきこもり状態から抜け出した後、2016年11月に『ひきこもり新聞』の発行を始めた。彼はその時期、ロースクールの入学試験を受けに行くことができず、ひきこもって勉強していた。

隔月発行される『ひきこもり新聞』は、個々のひきこもりの紹介や、社会への復帰を支援する団体やイベントの一覧など、ひきこもりおよびその親たちのためのニュースや救済策を紹介している。

「ひきこもった状態」を意味する「ひきこもり」という単語は、社会に背を向けひきこもった状態と、そうした状態にある人々の両方を指す。

この言葉は、日本の精神科医である斎藤環(たまき)によってつくられた。彼は外に出たり学校に行ったりすることを拒否し、困惑した親たちによって彼の診察室に連れてこられた10代の若者たちを10年にわたって診療した後、1998年に、ひきこもりについての本を書くことを決意した。

彼はこの言葉を、6ヵ月かそれ以上にわたって家に閉じこもっている人を指すために用いた。ただし、その症状の輪郭は定まっておらず、特に、そうした状態を精神疾患とみなすべきなのか社会的な病気とみなすべきなのかという点については議論が続いている。

「ひきこもりが恥ずかしいこととみなされていると、そうした人たちは自分自身の経験について語りたがりません」と、木村はメールで書いている。

「そのために、ひきこもった経験のない人々は、ひきこもりたちを自由に非難できてしまうのです。しかしそうした非難は、ひきこもりに対する偏見を社会に植えつけるだけであり、彼ら彼女らが社会と再びつながるのを妨げることにもなります」

『ひきこもり新聞』の発行によって、そうした人たちに対する理解が深まり、また、ひきこもっている人々やその世話をする人々、そして日本の社会全体のなかで共感が育まれていくことを、彼は望んでいる。

作り手は皆ひきこもり経験者

発行開始後、木村は宣伝のために日本全国を旅し、半年で6000部を売り上げた。

15人の協働作業チームから始まった同紙は、現在では記事の寄稿や編集の手伝いを担当する100人以上のボランティアに支えられている。そのほぼ全員が、現在ひきこもっているか過去にひきこもっていた人であり、初期のボランティアのひとりは30年もの間ひきこもっていた男性だ。

オンラインで配信される同紙には紙媒体版もあり、500円で販売されている。運営費用は、紙媒体版の売り上げと木村個人の貯金によって賄われている。おおむね月に1度、次号以降について計画を練って話しあい、合意を得るための編集会議が、木村の自宅のアパートで開かれている。

「ひきこもりたち自身が声を上げようとするのは素晴らしいと思いますし、そうしたことは彼ら彼女らにとってとても重要だと思います」と、人類学者でテンプル大学ジャパンの教授を務める堀口佐知子は話す。

「彼らが社会のメインストリームに対して及ぼしている実際の影響については、あまり確実なことはわかりません。この新聞がどれほど人気で、どれほど広く読まれているのかはよくわからないのです」

隠された実情を明らかにする

『ひきこもり新聞』の主な使命は、センセーショナルで時に不正確な報道に代わる、内部の人間の視点を提供することだ。

マスコミ報道によって、ひきこもりは男性特有の現象であると広く示唆された際、『ひきこもり新聞』は女性のひきこもりに関する特集号を発行することで、そうした語り口を転覆させた。

また、15歳から39歳のひきこもりが54万人存在するという調査結果を2016年に政府が発表した際には、その調査で無視されていた層である中高年のひきこもりについての連載を行った。2018年8月に内閣府は、高齢のひきこもりについての調査を実施すると発表した。

ひきこもりについての話題で重要なのは、なぜそんなにも多くの日本人が自ら孤立するのか、そして、長期間閉じこもってきた人々をどのように社会復帰させるかという問題だ。

木村はメールで、彼の母親が、彼の父親がそうしていたように息子のひきこもり状態を無視することはせずに、斎藤環に助けを求めてくれたことが非常に重要だったと書いている。

要因はあくまで社会的なもの

とはいえ、木村も堀口も、ひきこもりを過度に医学的な問題とすることには抵抗している。2人によれば、そのようにすることで問題が過度に単純化され、ひきこもりがもっぱら精神的な疾患の問題とみなされてしまうという。

代わりに2人は、さまざまな社会的要因を考慮することの重要性を訴えている。たとえば、成功することを求める家族からの重圧や、年齢差別あるいは一定期間働いていなかったひきこもりに対する不親切さといった労働市場の現実などだ。

他の要因としては、学校でのいじめなども挙げられる。インターネット上ではひきこもりが社会的な接触を持てるようにも思えるが、かえってそのために若者がゲームという仮想の世界に逃げ込むことができるようになっているとみなされてもいる。

「ひきこもりは犠牲者であると示唆する主張と、ひきこもりは社会的責任を果たしていない怠惰な人々であり、社会によって支援される必要はないと示唆する主張は、常に相争っていると思います」と堀口は話す。

研究を行うなかで彼女は、そうした言説において表象されるひきこもりは中産階級の真ん中から上のほうの人々であることに気づいた。そうした人々には支援を求める手立てがあり、数年間収入がなくてもやっていけると考えられるためだ。

世界中に存在するひきこもり

デューク大学の文化人類学者であるアン・アリソンは、日本における「無縁社会」について書いている。この単語は、人々の孤立および社会的なつながりの綻(ほころ)びという意味を内包している。

日本語にはこのような言葉があるわけだが、接続が断たれた社会は日本にのみ特有のものではない。ひきこもりに関しても同様だと、堀口は話す。

彼女はフランスの心理学者や社会学者、人類学者と協力し、ひきこもりに関する専門家の見識を、フランスにおける似たような事例に応用している。これまでの研究で、韓国、スペイン、アメリカにおけるひきこもりの事例が明らかにされてきた。

さらに、『ひきこもり新聞』はイタリア語に翻訳されており、同国での興味と読者の存在を示している。

正しく社会復帰するために

日本におけるひきこもりの問題は、強力な社会復帰産業が登場するほどに広く行き渡っている。しかし木村によれば、多くの団体が、ひきこもりという傷つきやすい人々およびその親たちにつけ込んで金儲けをしようと考えている組織だという。

日本の公共放送メディアであるNHKは2017年に、ある人を他のひきこもりの人々とともに3ヵ月のあいだ寮に滞在させ、日本円で500万円以上に相当する料金を請求した機関についての調査報道を行っている。

この報道では、身体的暴力を受け食事も与えられない状態から逃げ出したひきこもりについて報告されている。現在日本には、400以上の社会復帰施設がある。

ひきこもりの人々を社会に再び送り出すためには、雇用や教育、職業訓練といった戦略的な復帰過程を提供するプログラムと家族療法を組み合わせるような、多方向的なアプローチが必要だと、『ひきこもり新聞』の編集長は考えている。

しかし、ひきこもりのためのそうした協働的な方法はひどく不足していると、彼は書いている。ただし堀口によれば、国に認可されたガイドラインは、訪問・居場所・就労という三段階の社会復帰モデルを提示している。

木村が自ら好んで行っている仕事は、書くことを媒介にしているとはいえ、ひきこもりの人々が外の世界とのつながりに自分自身で積極的に参入できる数少ない方法だ。

自分たちが何を経験してきたのかを他のひきこもりの人々に伝えることで、何百人あるいは何千人もの声を上げていないひきこもりの人々を手助けしているということ、そして、そうした仕事には価値があるのだということに書き手たちが気づけばよいと、木村は望んでいる。

NHK World が行ったインタビューにおいて木村は、彼のスタッフの一部が新聞での仕事を、ひきこもり状態から徐々に抜け出すために利用していることについての喜びを語っていた。

『ひきこもり新聞』での経験を、別の仕事を探すうえでの足がかりとして活かしたスタッフもいた。「彼らのうちのひとりはジャーナリストになったんですよ！」と、木村は笑顔で話した。

なぜいつまでも女性スポーツ選手に「女らしさ」を求めるのか

The New York Times

2011年ワールドカップで優勝した「なでしこジャパン」
Photo：Joern Pollex/Getty Images

«Expected to Be Demure, Japan's Girls Face Steep Hurdles to Athletic Dreams»

The New York Times 21/6/30, Text by Motoko Rich and Hikari Hida
「日本のスポーツ界には根深い『男女格差』がいまだに存在している」

COURRIER JAPON 21/7/17

「東京五輪では、女性アスリートの卵たちを鼓舞する新たなヒロインが誕生するだろう。しかし、ひとたびスポットライトが消えると、女性スポーツ選手は日本の厳格なジェンダー規範に、苛まれることになる」

米紙「ニューヨーク・タイムズ」は日本の男女格差についてこう報じた。世界から見た日本の男女差別問題。なかでも、スポーツ界における根深い問題を全訳でお届けする。

あなたは〝女の子〟だから

13歳のクルミは、巧みなボールさばきを得意とするサッカー選手だ。ボールを肩甲骨に載せ、そこから頭のてっぺんに持っていってから右足へと落とす。リフティングを十数回やっても落とさない。いかにも簡単そうだ。

そんな彼女だが、所属する東京南東部の地元クラブチームで練習をしていると、チームメイトより長めに休憩を取るようにとか、ピッチの片付け中にボールが入った重いバッグを持たないようにと、コーチから指示を受ける。

それは、クルミが女の子だからにほかならない。

クルミはチーム唯一の女子選手だ。自宅近くに女子クラブチームがなく、通っている中学校にも女子サッカー部がないため、男子選手と一緒にプレーしている。高校に進学しても、女子チームでプレーするのはおそらく無理だろう。

クルミが住んでいる地域には高校が14校あるが、女子サッカー部があるのは1校のみ。高校のサッカー部に所属する兄はそんな苦労をしたことがなかった。地域の高校ほぼすべてに男子サッカー部があるからだ。

「男子のほうが楽でうらやましい」とクルミは言う。

これが日本における女性スポーツの現状だ。日本の女性アスリートは、えてして自らの夢を追いかけるためにひたすら奔走しなければならない。女性が活躍できる機会が限られているのは、日本社会に根づく社会規範が原因だ。そうした規範が、競技場のなかばかりか自宅や職場における女性の生き方を方向づけている。

男女格差は今もくっきりと残っている。近年のオリンピックでは、女性のほうが男性より金メダルを多く獲得している。日本生まれの女子テニスプレーヤー、大坂なおみは名実ともに世界トップ・アスリートの仲間入りを果たした。にもかかわらず、状況は変わっていない。

2021年7月に始まる東京オリンピックもまた、女性金メダリストが続出し、スポーツ界で大きな夢を抱く女性アスリートを奮い立たせることになるだろう。とはいえ、オリンピックの熱気が冷めるや否や、クルミをはじめとする女性たちはふたたび、ちょっとやそっとでは崩れない壁に突き当たるのだ。

女性は男性のわき役に徹するよう求められている

日本には、米連邦法「タイトル・ナイン」のような、公的教育機関に男女平等の機会提供を義務づける法律が存在しない。また、学校の運動部の活動費や、その男女別内訳に関する公的データもない。

女性アスリートが真剣に上を目指そうとするときに避けて通れないのが、女性らしくないとか、男性にもてなくなるとか、いずれは妻となり母となるといった固定観念を打ち破ることだ。コーチすらもそうした色メガネを通して女性アスリートを見ており、いずれは家庭に入るのだからと行儀作法を指導することまである。

こうした状況もあって、長年の景気低迷から抜け出すためには女性の地位向上が欠かせないといくら政治家が呼びかけようとも、女性リーダーが幅広い分野で持てる力をフルに発揮できるような環境はなかなか整わない。

最近では多くの女性が外で働くようになっているが、女性は依然として男性のわき役に徹することが求められている。日常生活でも、年齢を問わず控えめかつ上品に行動すべきだという、かなり限定的な女性像に従うよう強いられているのが現状だ。

「男性は、スポーツに秀でればロールモデルになれます」。日本体育大学の助教、城所哲宏はそう話す。「しかし、女性らしさの定義には運動が得意であることが含まれていません」。

社会が女性に何を期待していようと、クルミはいつか、憧れている澤穂希のような一流サッカー選手になりたいと考えている。澤は、サッカー日本女子代表チームのキャプテンとして、２０１１年ＦＩＦＡ女子ワールドカップドイツ大会で優勝し、２０１２年ロンドンオリンピックでは銀メダルを獲得した。

クルミは6歳のとき、兄の影響でサッカーを始めた。自分がチーム唯一の女子であることについては、「小さいときは全然気にしませんでした」と話す。「でも、ちょっと大きくなってからは、前よりずっと意識するようになりました」。

クルミが通う公立中学校にはサッカー部があり、規則上は男女どちらでも所属できる。とはいえ、部員40名はみな男子だ。クルミは、知らない男子ばかりのサッカー部に入るくらいならと、小学生のときから所属しているクラブチームでサッカーを続けることを選んだ。

「男子と女子では、体力も積極性も違います」。クルミが通う中学校の副校長を務めるコマッ・シゲキは、男子サッカー部員たちが練習試合をしているグラウンドの脇に立ってそう話す。選手たちが履くスパイクシューズで、グラウンドには砂埃（すなぼこり）が舞っている。

杉並区に住む17歳のココは、サッカーを男子のスポーツだと考える母親に耳を貸さず、小学1年生からずっとサッカーを続けてきた。

彼女は現在、男子が女子の5倍近くも所属するクラブの女子チームでプレーしている。

彼女はそのクラブで、シュートの打ち方やパスの技術以外のことも指導を受けている。それは女性らしさだ。ココが中学生のときに参加した合宿では、あるコーチが女子選手を対象に、箸と茶碗の持ち方を指導した。それがコーチ自身の考える、行儀がよくて上品な持ち方だったのだという。

「コーチは、デートしようとしている女の子がサッカーをしていると聞いたら相手の男の子は偏見を持つだろうなと話していました」。ココは、夕方の練習でピッチ上を何本もダッシュしたあと、そのコーチについてそう振り返った。

「はじめはそれが嫌でした」とココは明かした。「でも、高校生になった今は感謝しています。そういうことを気にする男子がいるって気づいたから」。

10年前にサッカー日本女子代表チームがワールドカップで優勝すると、日本の女子アスリートを取り巻く状況が変わるのではないかという期待感が生まれた。

それより前の1999年にアメリカでは、女子代表チームが自国開催のワールドカップで優勝し、郊外のサッカークラブには自分もプレーしたいという女子が押し寄せた。

しかし、日本ではそうした盛り上がりが見られず、男女格差について社会の関心が高まることもなかった。

「女らしくしろ」と言われる

2019年に笹川スポーツ財団が発表した調査によれば、10歳から19歳までの男子では、チームに所属しているか否かにかかわらず月に2回以上サッカーをしている人数は189万人と、その年齢層の3分の1近くに上っている。これに対し、同年齢層の女子のサッカー人口は23万人で、4%をわずかに上回る程度だ。

公益財団法人日本中学校体育連盟によると、加盟校1万324校のうち、女子サッカー部があるのはわずか48校だ。この差は成人しても変わらず、日本サッカー協会の登録選手で女子が占める割合はたったの5%である。

また、米国と同様、報酬格差も大きい。報道によれば、男子プロサッカー選手は女子プロサッカー選手の10倍以上を稼いでいる。

サッカーに限らず、スポーツ競技で最も脚光を浴びるのは男性だ。日本では毎年8月、

100年以上の歴史を持つ全国高等学校野球選手権大会（いわゆる夏の甲子園）が開催され、国中が沸き立つ。年明け直後の1月2日と3日には、大学陸上チームが競い合う箱根駅伝が開催され、多くの人がテレビ中継に釘付けになる。箱根を走れるのは男子選手のみだ。

女子アスリートの代弁者はほとんどいない。また、そのコーチは大半が男性であり、女性が思春期を迎えて身体が変化しつつあるときでも、それを支えてくれることはあまりない。

2008年北京オリンピックに水泳日本代表として出場した伊藤華英（はなえ）は、オリンピックを目指して練習していた10代の頃に、月経の影響で体重が増えたり気分が不安定になったりすると、コーチから「精神的に弱いからだ」と言われたと振り返る。

「問題があるのは自分、悪いのは自分だと思っていました」と伊藤。「でも、そうしたことはみな、元をただせば家父長制の日本社会に関係があるのだと考えています。女子スポーツさえも、男性目線で見られているのです」。

女性アスリートが男性との将来を見据えて心配しなければならないのは昔からで、非常に根深い考え方だ。

1936年ベルリンオリンピックで水泳選手の前畑秀子が日本人女性初の金メダリスト

になると、朝日新聞はその勝利を報じた記事に、次のような見出しをつけた。

「次は結婚だ」

そうした考え方は今もまだ根強い。日本女子サッカーリーグ（通称なでしこリーグ）の元選手で、長男が誕生するまで指導者だったスズキ・ユキは、男女の厳格な定義に不満を覚えている。

「女の子はよく、『女らしくしろ、女らしくしろ』と言われます」と34歳になったスズキは漏らす。「女性を巡る日本の根本的な文化を変える必要があると思います」。

女子がスポーツをする機会を手にしたあとですら、男子はささいなところで不当に優遇されている。クルミが通う中学校の場合、男子バレーボール部と男子バスケットボール部は体育館で週3回練習ができる。一方、女子の両部活動は週2回しか体育館を使えないのだ。

不公平な扱いについては気にしないようにしていると、クルミは話す。練習中に重い道具を持たないよう言われても、コーチを恨んでいないという。

「コーチはただ私のことを心配しているだけなんです」とクルミは言う。「でも、心のなかでは、重くても運べるよって思っています」。

名門進学校「開成学園」運動会
——「棒倒し」を続ける理由

The New York Times

海軍兵学校の棒倒し競技（1941年）
Photo：朝日新聞

«The Organized Chaos of Botaoshi, Japan's Wildest Game»
The New York Times 18/8/22, Text by Ken Belson
「『棒倒し』こそ、ニッポンの最も『秩序あるカオス』だ！」

COURRIER JAPON 18/9/9

棒倒しは日本で1世紀以上も続いてきたスポーツだが、近年、運動会では「危険すぎる」として廃止する学校が増えている。そんななか、日本の超名門進学校の開成学園ではいまでも棒倒しが「目玉」である。

彼らはなぜ、この伝統を守り続けるのか。米紙「ニューヨーク・タイムズ」のスポーツ記者が密着した。

雲のない5月の午後、何千人もの親、教師、そして卒業生たちは、叫び声や唸(うな)り声をあげながら校庭を突撃していく若者たちを見つめていた。相手を摑み、押しのけ、そして飛び越えようとする。荒海に浮かぶ帆船のマストのように、彼らの真ん中にある棒が一瞬沈み、また上ってくる。

棒倒しは1世紀近い歴史を誇る、アメリカンフットボール、ラグビー、相撲などの格闘技の要素を備えたスポーツである。あまりにも危険だとして日本の多くの学校では廃止されたが、名門校の開成学園（開成中学校・高等学校。以下「開成」）では、1929年から運動会における目玉競技となっている。

１８７１年創立の開成では、棒倒しがいまでも〝通過儀礼〟として残る。参加できるのは高校2年生と3年生で、下級生は別の競技に参加する。そのため、下級生は棒倒しに参加できる機会を楽しみに待つ。最近開成を卒業したナカガワ・マコトは、こう振り返る。
「中１のときから、ずっと先輩を見ていました。棒倒しはすべての中心にあったんです」

鼻血は〝よくあるもの〟

見慣れない人にとって、棒倒しは完全なカオスにしか見えないだろう。20人強の攻撃陣が棒を引きずり倒そうとし、20人強の守備陣がそれを阻止しようとする。校庭の反対側では、守備と攻撃が入れ替わった状態が繰り広げられる。

開成のルールでは、試合開始90秒以内に、地上から１４０センチメートル未満まで棒の先を落とすことのできたチームが勝者となる。どちらのチームも達成できない場合、再戦する。再戦でも決着がつかない場合、くじ引きで勝敗が決まる。カラフルなタスキを頭に巻いた少年たちは、「最後まで戦う！」「絶対に勝つ！」といった力強い掛け声で気合を入れていた。

生徒たちは柔らかいヘルメットと膝パッド、ファールカップ（股間の防具）以外の防具をつけない。捻挫や切り傷、鼻血は〝よくあるもの〟として扱われる。生徒たちは脚や背骨、頬にヒビが入ったり、脳震盪(のうしんとう)を起こしたりすることもある。

棒倒しによる負傷は近年、増加傾向にある。学校側の記録によると、2005〜16年で52％も負傷の数が増えている。

体育祭広報担当で数学教師の清水哲男によれば、運動能力の高い生徒と、そうでない生徒のギャップが大きくなっているからだという。卒業生で、運動会では医者としてボランティアをしているマツモト・サトシもこう話す。

「運動部に所属している生徒と、文化系の部活に所属し運動をほとんどしたことのない生徒が混ざっています。深刻な事故が起きていないのは見事としか言えません」

棒倒しの原点は？

棒倒しの歴史を見てみよう。東海大学でスポーツ史を教える松浪稔(みのる)は、1890年代に流行った遊び「竿登り旗取り（キャプチャー・ザ・フラッグ）」と「綱登り旗取り」を合わせたものが棒倒しかもしれない、と言う。

もうひとつの仮説として、鹿児島の若者が遊んでいた「大将取り」が元になったという説もある。それが広島にある海軍兵学校に持ち込まれ、いまも防衛大学校でおこなわれている棒倒しの起源である可能性が高いというのだ。

開成では昔、より荒っぽいルールで棒倒しがおこなわれていた。制限時間は5分で、引き分けの場合は再試合をくりかえしたため、大会が夜中まで続いたこともある。生徒たちが防具をつけることは稀で、ルールブックもわずか数ページしかなかった。1977年の卒業生で、棒倒しで鎖骨を折った経験のあるハットリ・アキトは語る。

「アメフトのような緻密なゲームプランなんてありませんでした。もっと過激でゆるかったですね」

80年代になると、子供を大学受験に集中させたい保護者たちが、組体操の人間ピラミッドや騎馬戦のような種目を「危険すぎる」と心配するようになった。そのため学校側は、こうした競技をプログラムから外すようになった。

米国の男の子たちの多くが経験するアメリカンフットボールやホッケーは、コンタクトスポーツである。だが彼らは防具を着用しているし、危険が許容されている理由には、大学へのスポーツ奨学制度があるのだ。

2015年、名門男子校の麻布学園（麻布中学校・麻布高等学校）で、棒倒し中にあまりにも激しい殴打を受けた生徒が病院に搬送された。幸い、心配された背骨への損傷はなかったものの、学校側は競技を取りやめることにした。校長の平秀明はこう話す。

「複数の教師が、『競技がひとつの限界を迎えた』と考えるにいたりました」

競技を安全にするには

ほかの学校で中止になっているにもかかわらず、なぜ開成では棒倒しが続いているのだろう。棒倒しは運動会でのみおこなわれる。卒業生たちは、「裸で一緒に戦うことは、学年を超えて絆を生む」と考えている。

前出の松浪によれば、棒倒しは一見ただ混沌としているようでも、チームワークを生み、体力強化を促すという。

「歴史とルールを知らずに、NCAA（全米大学体育協会）創設前のアメフトを見たら、多くの人が『狂ったスポーツだ』と感じるでしょう。それと同じことです」

開成の柳沢幸雄校長は棒倒しの危険性を認めている。だが、彼を含めた学校関係者は、「ルール改変によって、より安全になった」と話す。

たとえば、開成では相手を蹴ることは認められていない。競技の時間も、1998年に2分から1分半へと縮められた。また、衝撃を和らげるため、攻撃陣が守備陣にたどり着くまでの距離は、30メートルから10メートルへと短くなった。

一部の生徒は怪我を心配するものの、棒倒しが存続することを確信していた。2018年の優勝チームの主将、イシカワ・リュウタは言う。

「毎年、みんなで対策を考えてルールを見直します」

また、多くの親も競技を認めている。

高校3年生の息子の棒倒しを見届けるために、仕事を休んだというヒグチ・ユウイチはこう話す。

「危険ですが、ルールが緻密でかつ毎年見直されているので、信じることにしています。とにかく怪我をしないで帰ってきて欲しいですね」

戦略を立てるのに数ヵ月

ほかの多くの学校と異なり、開成の生徒は運動会の自治を大いに認められている。何ヵ月ものあいだ、彼らは運営の計画をし、ルールを洗練させ、そして勝つための戦略を練る。いまの運動会のルールブックは、124ページにもおよぶ。

「先生たちは、私たちを信じて好きにさせてくれます」と言うのは、2年生で主審を務めるヨコイ・ソウタロウだ。それでも、誰かが重傷を負うようなら先生たちは止めに入るという。

棒倒しは単純な競技だが、開成の生徒は長い時間をかけて戦略を練る。攻撃陣は3グループに分かれ、第1陣の6人は、棒への道を開けるために防衛陣を押しのけようとする。

第2陣は防御陣を飛び越えて棒にすがりつこうとする。第3陣は棒を掴んだメンバーの脚を引っ張ることで、棒をさらに引きずり倒そうとする。また、敵を妨害することも、役割のひとつである。

試合開始の笛が鳴る前に、攻撃の第1陣はスクラムを組んで、校庭の中央まで歩く。突撃するメンバーを敵から隠すためだ。このメンバーには棒を掴む可能性が高い、高身長の生徒が含まれる。

あるチームは正面攻撃を好む。また別のチームは、さまざまな方向から攻撃を加える。各チームは練習を撮影し、機密作戦は後輩へと受け継がれていく。優勝するには3連勝する必要がある。3年生で主将を務めるタクボ・マサトは言う。

「90秒間、ただ作戦を完璧に実行することだけを考えています」

保護者たちは応援で声を張り上げ、下級生は応援団の先導で応援歌を歌っていた。攻撃の一人が人の山を飛び越えて棒にたどり着くたびに、観客が息を呑む。攻撃陣が引き剝がされると、さらに喝采が上がった。

最後の試合では、黄組と紫組が棒を倒しきる前に時間が切れた。審判たちが地面からどれだけ離れているかを計ってから、黄組の勝利を宣言した。

優勝チームは喜びのあまりヘルメットを放り出して、校庭のトラックを駆け回った。

日本の若者の投票率はなぜ低いままなのか？

The Washington Post

21年衆院選でも、若者の投票率は伸び悩んだ
Photo：共同通信社

«In world awash in angry politics, Japan is so quiet that young voters are courted just to talk»

The Washington Post 21/11/17, Text by Michelle Ye Hee Lee and Julia Mio Inuma

「日本の若者の投票率はなぜ低いままなのか？　現状を変えようとする若き活動家たち」

COURRIER JAPON 21/11/28

他の先進国に比べて投票率が低いと言われる日本では、若い有権者の投票率も伸び悩んでいる。10月の衆議院選挙では、こうした現状を変え、若者に政治参加を呼びかける若きアクティビストたちがソーシャルメディア上で存在感を放っていた。

米紙「ワシントン・ポスト」が、この新たなトレンドと、日本の低投票率の背景にある状況を取材した。

「多様性が欠けている」

彼らは来る選挙に向け、インスタグラムやツイッター上で投票にまつわる情報を数多く発信した。かっこいいポスターをデザインし、ソーシャルメディアのハッシュタグを使ってキャンペーンを開始し、有名人が出演する動画を撮影した。さらには、流行りの店で使える「選挙割」も実施した。

しかし、何をしても若者の投票率が上がらない日本で、彼ら政治アクティビストたちは、この国特有の壁に直面している。というのも、日本では、政治や投票について語る程度のことさえも、若者の文化的規範からはズレているとみなされてしまうのだ。

その理由はさまざまだ。彼ら若者と、圧倒的に年上の政治家たちとの年齢差を指摘する者もいれば、17歳以下の高校生による選挙運動を禁止する法律を指摘する者もいる。

その結果、日本の若者たちは、自分には国の将来について発言権がないかのような空気を感じている場合が多いのだと、アナリストたちは言う。

「日本の中心には、政治の世界に多様性が欠けているという問題があります」と能條桃子は言う。能條は、若者に政治参加を呼びかける団体「NO YOUTH NO JAPAN」を率いる大学院生だ。

「若い政治家がとても少ないので、政治家たちが若者のことを考えている気があまりしないんです」

低投票率の背後にある「日本特有の問題」

アメリカやヨーロッパの一部を含む日本の同盟諸国では、政治的分断と分極化がますます進んでいる。若者が選挙と投票について積極的に発言しないという日本の現状は、こうした国々の状況と好対照をなしている。

10月31日に行われた衆議院選挙に先立ち、アクティビストたちは、東京近郊やオンライン上のいたるところで有権者に投票を呼びかけた。彼らの希望は、コロナ禍で20代の有権者の意識が高まっていること、また、ソーシャルメディアの利用も増えていることにあった。

こうしたより若い世代に向けた取り組みは、比較的新しいトレンドだ。アクティビストたちは、投票を「普通のこと」にしようとしている——あるいは、せめて投票に関するオープンな議論だけでも、当たり前のことにしようとしているのだ。

しかし、彼らは苦しい戦いに直面している。日本の投票率は、先進国のなかでも依然として低いままなのだ。

先の衆議院選では、有権者の50%強しか投票しなかった。これは、戦後日本で3番目に低い数値だ。同じく投票率が他の先進国に遅れをとっているアメリカでは、近年の選挙では投票率の上昇が見られた。２０２０年には、有権者の3分の2が投票した。２０１８年の中間選挙は、１９１４年以来、中間選挙としては最高の投票率だった。

また、日本の若い有権者の投票率も低いままだ。２０１７年の衆議院選では、20代の有権者のおよそ3分の1しか投票に行かなかった。アメリカは逆の傾向にあり、30歳以下の投票率は、２０１８年、２０２０年と、過去最高を記録した。

これまで投票に行ったことがない若い有権者を投票する気にさせるのは、どこの国でも難しい。しかしアクティビストたちは、日本には特有の難しさがあるという。

10月の選挙の結果、465人の政治家が衆議院議員として選出されたが、平均年齢は55・5歳であり、女性議員の割合は10％以下なのだ。

若きアクティビストによる若者に向けた活動

日本では、オンラインでの政治的活動は比較的新しいものだ。アメリカやその他の多くの国では、過度に党派的なオンラインの政治的活動が当たり前になっており、日本の状況とは異なる。ただ、こうした活動は、デマや陰謀論に触れるきっかけを人々に与えてもいる。

「NO YOUTH NO JAPAN」は2019年に始動した。メンバーは10～20代。おもにソーシャルメディア上で活動し、若い有権者から寄せられる選挙に関する質問に答えたり、10万人近いフォロワーたちに、各政党の情報や彼らのスタンス、投票の仕方などを伝えたりしている。能條いわく、今回の選挙では、同団体のソーシャルメディアでの活動に、これまで以上の関心が集まったという。

「コロナ禍は、政治が私たちの日常といかに密接に関わり合っているかを示すうえで、重要な役割を果たしました。それによって、これまでより確実に多くの人々が政治に関心を持ったのです」と能條は言う。

今年の選挙期間中に、アクティビストたちが連帯して行った初の取り組みがある。19項目の社会課題についてのアンケートを各政党に配り、気候変動やコロナ対策について尋ねたのだ。このアンケートを行ったアクティビストらは、ツイッターで知り合ったという。彼らは数が多いほうが力になると考え、ともに活動することに決めた。

「私たちはみんな、さまざまな課題において無視され、忘れられていると感じています」と町田彩夏は言う。大学院生の町田は、「みんなの未来を選ぶためのチェックリスト 衆議院選挙２０２１」の発起人の一人だ。

10代のとき、町田は選挙権年齢を18歳以上へ引き下げる法案を支持した。この法案は、若者の政治への関わりを促進することを目的に、２０１５年に可決された。町田は現在、ジェンダーにまつわる権利のための活動をしている。

「若者の存在が可視化され、それによって政府が若者にきちんと語りかけ、若者のことを考えて政策を作るようになることを願います」と町田は言う。

選挙権年齢引き下げで混乱する教育現場

日本ではいまだ、他人に政治的な意見を聞くことは不作法だと思われている。こうした雰囲気は、選挙にまつわるいかなる会話――そもそも投票するのかどうかという会話も含む――にも存在する。

それゆえ、今回のような若いアクティビストたちの取り組みが、若者の政治参加に対する多くの人々の見方を変えるうえでとりわけ重要なものとなっていると話すのは、関西学院大学社会学部の准教授で、若者のインターネット使用について研究する鈴木謙介だ。

「1970年代から、日本には、政治に関心を持つことはダサいという一般的なイメージがありました。ですが今回、若いアクティビストたちが行ったさまざまなキャンペーンにより、そのイメージはすっかり変わったと思います」と鈴木准教授は言う。

若い市民の政治への関心を妨げる制度的な問題もある、と専門家やアクティビストたちは指摘する。

長年、公職選挙法は、選挙権年齢に満たない学生の選挙運動を禁じてきた。この法律はもともと、教育制度を政治的イデオロギーの影響から守るために作られたものだ。

選挙権年齢を18歳以上に引き下げたことによって、より多くの学生が政治について議論できるようになった。しかし、ソーシャルメディア上のものも含め、満18歳未満の選挙運動はいまだ違法である。17歳以下の者は、ソーシャルメディアで政党の情報をシェアできず、政治的なアカウントからシェアされた投票に関する情報をリツイートすることもできない。

選挙権年齢の変更は、高校3年生に「誰が政治について話すことができて、誰はだめなのか」という混乱を引き起こした。同じ学年に、すでに18歳になっている人もいれば、そうでない者も存在するからだ。中立性を保つという厳しい要件が課されている教育者たちにとっては、政治制度について自由に議論すること、さらには、政党や立候補者のスタンスに関する質問に答えることさえ難しい。

「政治は繊細な問題なので、多くの人は政治について語ることをタブー視する環境で育ちます。だから、若者がいきなり政治に関心を持てと言われても、難しいんだと思います」

と町田は言う。

辻愛沙子（つじあさこ）は２０２１年、「GO VOTE JAPAN」を立ち上げ、さまざまなオンラインでの活動を通じて、政治への沈黙を破ろうとしてきた。

たとえば、みんながもっとも関心のある社会課題について簡単に調べられるオンラインのツールを提供したり、こうした課題を図解したものをオンライン上でシェアしたりした。

辻は、「GOVOTE MARKET」と呼ばれるオンラインストアを始動させるため、地元の企業と提携した。このオンラインストアで買い物をすると、19歳の投票率と連動した割引を受けることができる（２０２１年12月いっぱいで終了）。

「若者は政治に興味がないと簡単に片付けられることが多いですが、私は、政治に関する会話をタブー視する空気をつくっている社会の問題だと思います」と辻は言う。

「日本では、若者が社会を変えられると信じるのは本当に難しいです。制度はすでにできあがっており、不可侵であるように思えますから。それに、自分自身で考え、決定する機会がとても少ないんです」

東京に見切りをつける若者たち
——パンデミックと地方移住

The Washington Post

田んぼに映る「逆さ阿蘇」
Photo：朝日新聞

«Goodbye, city life. Green acres in Japan beckon as pandemic shifts priorities»

The Washington Post 21/11/14,Text by Michelle Ye Hee Lee and Julia Mio Inuma

「パンデミックで人生を見つめ直して——『さようなら、東京』地方移住で夢を叶える日本の若者たち」

COURRIER JAPON 21/11/28

今、日本の若者たちのあいだで、地方移住がちょっとしたトレンドになっている。新型コロナウイルス感染症（COVID-19）のパンデミックを受け、都会の生活を捨てることを決意した彼らは、今まで温めてきた夢を叶えるための大きな一歩を踏み出した。

ハシモト・カナ（25）は定年になったら農業をやろうと夢見ながら、東京の保険会社の底辺であくせく働いていた。そんなとき、パンデミックが発生した。

ハシモトは、自分が本当にやりたいことは何だろうと考え直した。そのなかに、東京にとどまることは含まれていなかった。

2021年4月、彼女は熊本県にある人口約1万1000人の村、南阿蘇村に引っ越した。現在彼女は、農作業をしたり、近所のレストランに地元の食材を配達する手伝いをしたり、味噌汁店や温泉宿で働いたりして、自分が好きな仕事をたくさんバランスよくこなしている。

「今では生活がすっかり変わりました」と、彼女は話す。

「もう、ずっと東京で生活するなんて想像できません。ここで、自然に囲まれて生活するのが好きなんです。東京にいたときより健康になったと思うし、精神的にも満たされています」

東京に代わる選択肢

パンデミックによって、世界中の人々が人生の選択を見直すことになった。とくに、厳しい労働文化のなかで選択肢が少ない日本のような国では、自分の将来がどうあるべきか、あるいはどうあるべきでないかを考え直す、めったにない機会となった。

政府が1万人以上を対象におこなった調査によれば、東京とその近郊では、とくに20代と30代のあいだで生き方を見直す傾向が強まっている。

若い労働者たちは、長時間労働や満員電車での通勤、仕事のあとの上司との飲み会や社内の厳しいヒエラルキーといった、東京の過酷な労働環境に代わる選択肢を求めているのだ。

同調査によれば、首都圏に住む20代と30代の約3分の1が、半年以内に地方への移住を検討しはじめたと述べている。20代だけでも、44・9％の人々が地方への移住に興味があると回答している。

この数字は一部のサンプルに過ぎない。だが、それでも少子高齢化により人口が急速に減少している日本の地方にとって、重要なときにこのトレンドが起きていると言える。

近年では、政府と地方自治体が若者を郊外に呼び込むために地域活性化事業を推進しており、テレワークを認める企業の仕事を紹介したり、地方の空き家をわずか455ドル（約5万円）ほどで売りに出したりしている。

日本の新しい首相、岸田文雄はそうした試みを強化しようとしている。岸田は主要な構想の一つとして、都市と地方の格差を解消することを目的としたプログラム「デジタル田園都市国家構想」に資金を投じることを挙げている。

岸田は10月14日の記者会見で「何よりも大切なのは地方です」と述べ、「デジタル改革」によって地方の人口減少といった問題に取り組んでいくことを主張した。

若者が仕事を求めて地方を離れ、より大きな都市へと出て行く日本という国で、ハシモトのような若者たちは反対の道を行こうとしている。そして、そうすることには社会的な圧力を伴う。

ハシモトの両親は、彼女が地方移住を決めたことを告げるとショックを受けたという。両親は、娘が父親同様に国際的な保険会社の役員となることを期待して、カナダの学校に通わせたのだ。ハシモトはこう語る。

「最初は、両親も私の考えにとても反対していましたし、移住について話したときは喧嘩になりました。確実に農業は両親の『プラン』にはなかったと思います」

夢を追って田舎へ

吹田あやか（30）は宮崎県にある人口約1万人の町、都農町に引っ越す前は東京の人材会社に勤めていた。彼女は現在スタートアップで働いており、持続可能な生活について学生に教えたり、町の二酸化炭素排出量ゼロへの取り組みをおこなったりしている。

もともと彼女は、いつか東京から出ることに興味があった。だが、それについて真剣に考えるようになったのは、コロナ禍で心の余裕ができたのがきっかけだった。パンデミックで企業が新しい社員の採用をストップすると人事の需要が減り、彼女の仕事の負担も減って時間ができた。

東京に住んでいたとき、吹田は自分が本当にやりたいことを始めるには何年もかかると考え、フラストレーションを抱えていた。だが現在、彼女は自分のスキルを活かして新たなプロジェクトに取り組んでいる。

「東京の会社では、若い社員が仕事で大きな機会を得るのはそれほど簡単ではありません。ですが、地方では年齢にかかわらずたくさんの機会があります。以前は、自分にはできないと思い込んでいろいろなことを諦めていました。ですが、ここにきてから私の可能性は大きく広がったんです」

地方に移住する若者は、自分と同世代の住民が少ないために新しいコミュニティを築くのに苦労することが多い。

自身も最初の6ヵ月のあいだ、現地の暮らしに馴染むのに苦労した吹田は、若い住民向けに、互いに助け合うことを目的としたオンラインコミュニティを立ち上げた。

現在は、吹田やハシモトのような若者が地方での生活によりスムーズに適応できるよう手助けしてくれるNGOもある。

コロナ禍のなか、農業におけるジェンダー格差をなくすことに取り組むNPO法人「田舎のヒロインズ（HERS）」には、東京を離れて地方に移住したい女性からの要望がこれまでより多く寄せられており、最近になって活動の幅を大きく広げている。

田舎のヒロインズは、地方での生活や仕事、子育てについて知りたい女性向けのオンライン講座を増やしていると、理事長の大津愛梨は言う。また同団体は地方で生活を始め、コミュニティを求めている女性の支援にも取り組んでいる。大津はこう話す。

「コロナ禍で、私たちの活動への関心が高まりました。人々の考え方が変わって自分の生活を振り返り、違うライフスタイルについて考えるようになったのだと思います」

かつて田舎のヒロインズは、都会の生活にうんざりした女性や、東京で子供を育てながら働くことに疲れ、そこから逃れる手段を求めている女性からの相談を受けていた。

だが、パンデミックが始まってから大津が受けた相談は、もっとポジティブなものだった。より若い世代の女性は、地方で自分の夢を追い求めることにもっと自信を持っていると彼女は言う。

「コロナ禍のなかで得られた新しい価値観は今後も残ると思いますし、そうなることを願っています」

第５章　日本の深奥

平成日本と天皇
――「アキヒトイズム」とは何か

London Review of Books

2011年、被災地で黙礼する両陛下
Photo：The Asahi Shimbun/Getty Images

«Akihito and the Sorrows of Japan»
London Review of Books 20/3/19, Text by Richard Lloyd Parry
「英紙東京支局長が母国で語った平成の天皇論『明仁天皇と日本の悲しみ』」

COURRIER JAPON 21/5/3

戦後の天皇イメージは、昭和、平成、令和と日本国内で大きく変遷してきた。では、海外からこうした変遷はどう見えているのだろうか。「東京五輪中止スクープ」記事などで話題の英紙「タイムズ」東京支局長リチャード・ロイド・パリーが、立憲君主制の発祥の地である母国で講演した「平成の天皇論」とは？

皇居という空間

東京の皇居には、宮殿らしさがない。そこにあるのは公園だ。池と樹木からなるこんもりとした森に、数棟の簡素で上品な近代的な建築物と庁舎の区画があり、そのあいだを結ぶ道が見え隠れする。

ここにかつて、9ホールのゴルフ場があったこともある。1920年代、裕仁皇太子が訪英をきっかけにゴルフ好きになり、造らせたのだ。

だが、この話には後日談がある。何年も経ってから、裕仁天皇がゴルフ場に咲く珍しい花を見かけ、そこを元の自然に戻すことを思いついたという。

皇居の面積は、約1・15平方キロメートル。それが史上最大の都市の中心部にある。

30年に及ぶ日本経済の停滞のあとでも、ここはいまだ世界最高級の不動産物件のひとつだ。1980年代のバブル絶頂期には、皇居の土地だけで米国カリフォルニア州全体の価値があるなどと言われていた。

もっとも、そんな比較をしても意味がないのは言うまでもない。この土地が売りに出されることは、絶対にないからだ。開発されることもない。大半の人はそこを歩くことすらないだろう。

そんなプライスレスで何もない場所に、そこを住まいとする人のイメージを重ねたくなる人もいるに違いない。皇居は「場所」というより「空間」なのだ。

「空っぽな中心」の住人

それは憲法上、天皇が日本国の象徴でありながら、戦前に帯びていた神性や権力を喪失しているのと似ている。

天皇と同じで、皇居の機能自体はほとんど取るに足らないが、実際にはそれを凌駕する力があり、周辺の都市部に隠然たる力を発する場となっている。

たとえ機能としては無意味でも、それは絶対的に無意味ではないというわけだ。堀や運河は皇居を中心に渦巻き状に広がり、やがて隅田川に流れ出す。その一部は埋められてはいるが、いまでも地図を見ればそれは一目瞭然だ。

皇居を少し離れたところで周回する鉄道路線が、山手線だ。航空機の飛行ルートも、地下鉄の路線も、高速道路も慎重に経路が定められ、皇居の土地の上にも下にも入り込まないようにする配慮がある。

フランス人記号学者ロラン・バルトは、1970年にこんなことを書いた。

「私が話題にしている都市（東京）は貴重な逆説を示す。たしかに東京にも中心はあるのだが、その中心は空っぽなのだ。禁域として超然と佇（たたず）むこの場所のまわりに、東京の都市全体が円を描いて広がる。

つまり二大現代都市のひとつは、城壁とお堀と屋根と木々から成る、このおぼろげとした円環のまわりに築かれているのだ。

その中心そのものは、もはや雲散霧消した概念だが、それでもなおそこにとどまり、なんらかの力を放射するわけではなく、ただ都市のすべての動きを空っぽな中心として支える」

天皇イメージを変えた明仁天皇

2019年5月、この空っぽな場所の主要な住人が替わった。1989年の裕仁天皇の崩御以来の出来事だ。

戦時中に在位していた裕仁天皇は、国外では反感をもたれ、国内でも公然とではないが、どこか釈然としない思いを抱かれた人物だった（平成への代替りが近づいた年、過激派が皇居を狙って自家製の迫撃弾を撃ちこみ、人ではなく、リスやカラスのあいだに着弾した事件もあった）。

２０１９年、徳仁（なるひと）天皇の即位の礼では、その種の出来事がいっさいなかった。意識調査を見ても皇室の人気は戦後で最高の水準にある。

その功績は、30年間皇位にあり、２０１９年4月に譲位して上皇となった第１２５代の明仁（あきひと）天皇にある。

裕仁天皇の在位期間は昭和時代と呼ばれるが、その昭和の戦後期では、天皇をめぐる政治的な対立があった。左派が天皇を激しく批判したのに対し、極右の一部が天皇を文字どおり崇拝していたからだ。

平成という在位期間中にそれを変えたのが、明仁天皇だった。明仁天皇がもたらした政治と制度の変化は、皮肉と逆説に満ちたものだった。

「中道左派」の天皇？

古代から連綿と続く皇族が、慎み深い中流階級の一族に作り替えられたのだ。自分を担ぎ出して右派の復権を企てる保守の超国家主義者からは距離を置いた。

日本と東アジア諸国との歴史的関係、戦争被害に対する責任の問題にも取り組んだ。

立憲君主の天皇は政治への関与を禁じられていたが、戦後日本で主流だったある政治潮流の代表者のひとりとなった。

その政治潮流とは、21世紀に入ってからは主流と言えなくなっているが、真面目で熱心な中道左派の平和主義だ。その根っこにあったのが、民主主義や1947年施行の「平和」憲法の理想を守る情熱だった。

明仁天皇のことを急進派、あるいは社会主義者だと言ったら大きな語弊があるだろう。だが、日本の左派が危機と衰退を迎えていたときに、この国の革新勢力の指導者のなかで最も有名で、最も一貫していて、最も決然としていて、最も効果を挙げたのが、この世襲の君主だった。

明仁天皇ほど、恵まれない人の権利の擁護において効果を挙げた人はいない。20世紀半ばの日本の戦争から厳しい教訓を引き出し、その後に続いた平和と民主主義と繁栄の時代がいかに脆いものになりうるのかを語ることでも同様だった。

特筆すべきは、これらすべてが間接的に成し遂げられたことだ。アメリカの占領者が作った戦後憲法で、天皇は「日本国の象徴であり日本国民統合の象徴」と定められている。

天皇に許されるのは「憲法の定める国事に関する行為のみ」で、天皇は「国政に関する権能を有しない」。

これは他の立憲君主制の国に比べ、政治発言をはるかに厳しく制限されることを意味する。明仁天皇は律儀に、この一線を越えなかった。その代わりに、コミュニケーションに一種の暗号を使った。一見他愛なく率直にとれる発言に意味を込めて響かせたのだ。

君主の多くがそうであるように、歳月の経過とともに明仁天皇と美智子皇后は、独特の流儀で知られるようになった。

英王室のハンドバッグやコーギー犬、強烈なジントニックが英国民にお馴染みなのと同じだ。

明仁天皇といえばダブルのスーツ、美智子皇后といえば古風な帽子だ。二人の公の場での立ち居振る舞いは、相手への深い気遣いと真心のこもった礼儀正しいものだった。

加えて明仁天皇には情熱を捧げるものがあった。テニスとチェロ、そして何よりもハゼという小さな魚の分類法についての科学的研究だ。

研究者としての実力は正真正銘だ。ハゼの肩胛骨（けんこうこつ）を丹念に比較し、ハゼ科魚類の分類に労を惜しまなかった。研究にのめり込んだ天皇が皇居内で魚の骨を楽しそうにつまむ図は、ほとんどモンティ・パイソン（英国を代表するコメディーグループ）的と言っていいほど人の心を惹きつける。

だが、近現代の君主で、明仁天皇ほど心労が大きかった人も少ない。心労の種となったのは、皇室のいまとこれから、世代間の対立、それから直近の家族でとりわけ女性が精神の不調や不幸感に悩まされたことだった。

日本の「戦後処理」の象徴

明仁天皇の人生に一貫してあるテーマが、戦争だ。戦争はむごたらしいものであり、二度とくりかえしてはいけないという責務の念があった。

生まれたのは1933年。満州への軍事侵攻をめぐって日本が国際連盟を脱退した年だ。終戦を迎えたのは、特別待遇だった疎開先でのことだった。

敗戦後の首都に戻ると、そこは空襲の焼け跡になっていた。1948年の15歳の誕生日には、東条英機と6名の戦争犯罪者が、巣鴨拘置所内でアメリカ人の死刑執行人によって絞首刑に処された。

学習院という名門校で一般の学生と同じ高等教育を受けた初めての皇太子でもあった。英語の家庭教師だったアメリカ人クエーカー教徒のエリザベス・ヴァイニングから「ジミー」というニックネームをつけられた。後にヴァイニングはこう述懐している。

「この頃の殿下の御興味はほとんど魚類だけに限られていたので、私はもっと御興味の対象を拡げなければと思った」

若い皇太子がこのアメリカ人の平和主義者から感化を受けることになったと恨んだのが右派の知識人だった。後にある右派の知識人は、この家庭教師のせいで明仁皇太子の精神と知性に「菌」がついたと苦言を呈した。

父親の裕仁天皇が、戦争の司令官や戦略家だったことは一度もない。だが、現代の研究では、裕仁天皇が太平洋戦争に反対とは程遠い立場であり、反対していたのは負け戦だけだったことが明らかにされている。

だが、日本では降伏の当日から、裕仁天皇の免罪を求める必死の努力があった。裕仁天皇は平和主義者として描かれ、降伏を決断することで不幸な人民を滅亡の淵から救ったとされた。

戦後は絞首刑に処されることもなければ、退位することもなかった。その後の在位期間では、表向きには立憲君主を演じたが、その裏でときおり閣僚人事に疑義を示したり、共産主義者に対する「備え」を促したりしたこともあった。

一方、その息子は、戦後処理の規定を遵守したばかりか、その形を定めて体現するのに貢献したのだった。

戦後日本の「中流階級」も象徴

決定的瞬間となったのが、１９５９年の正田美智子氏との結婚だった。カトリックの教育を受けた、製粉会社社長の美しい娘だ。このカップルが、消費生活を楽しむ快活な中流階級のイメージを体現することになった。

エプロン姿の皇太子妃がキッチンで台所道具に囲まれて立つ写真、皇太子妃が夫と手をつなぎスケートで滑る写真、浜辺で幼い子供たちと遊ぶ写真が撮影された。

明仁天皇といえば目立たないかたちで政治に関与してきたことが注目されがちだが、壮麗さや尊大さとは無縁の世襲君主像を打ち出したことは、それを上回る功績だった。

戦前の天皇は、魔法を使ったかのような高みにあらせられるお方だとされ、「雲の上」の人にたとえられていた。大日本帝国の臣民が裕仁天皇の姿を見たのは、写真やニュース映画で軍服を着て白馬に乗っているところだけだった。

１９４５年8月15日、日本の降伏を伝えた有名な放送のとき、大日本帝国の臣民のほとんどが裕仁天皇の声を初めて聴いた。ラジオの周囲に集まった人の多くは、語られた言葉の大意しかとらえられなかった。文語体の演説だったことに加え、天皇の話し方も相俟（あいま）って日常言語とはかけ離れて聞こえたのだ。

明仁天皇の家族に共通する雰囲気

明仁天皇の家族の立ち居振る舞いを説明するのは難しい。それは気軽で親しみやすい、いわゆる通常の意味での「チャーミング」からは遠くかけ離れている。

私自身は、皇族が誕生日や海外渡航時に定期的に催す記者会見の場だけでしか接したことがない。

そんな記者会見のひとつで、私は特派員仲間とともに列に並び、徳仁皇太子と雅子妃に挨拶したことがある。

一瞬の握手を通じて得た印象がいくつかあった。まず気づかされたのが、ふたりの身長差だった（雅子妃のほうが数インチ高い。これは公の場では目立たないようにされている）。

それから、なぜかはわからないが、その場にいた私たちは全員、声をひそめなければならないと感じたのだ。皇族は、優しくて、善意が感じられる不思議な雰囲気を身にまとうかのように見えた。

徳仁皇太子と雅子妃は、明仁天皇と美智子皇后と似て、非常にいい人だという印象だった。相手がそれなりに楽しく時間を過ごせているのかを、必死というか、ほとんど神経質と言えるほど気にかけているのだ。どこかぎこちなく、よそよそしいのは、肩書きや優越感から生まれるものではない。それは気遣いと謙遜の心から出てくるものだ。

なぜ明仁天皇はそれほど気遣ったのか

気遣いこそ、明仁天皇の宮廷を特徴づけるものだった。

皇室像を作り替えようとする個人的動機が何だったかはうかがいしれない。皇室像を作り替えること自体が目的でなかったことだけは確かだ。それは皇室の存立のためだった。自分たちの立場の弱さを鋭く意識したものだった。

かつて英国のフィリップ殿下は、英王室について「私たちは週のどの日も選挙を戦っている」と語ったが、明仁天皇の努力は、その数倍も精力的であり、一貫していた。日本で、共和主義を目指す運動は組織されておらず、メディアで君主制に代わる制度についての議論が交わされることもない。そんな国でも、それほどまでの努力を続けたのだ。

皇居内で働いた経験のある人物が私にこう語ったことがある。

「国民の1割は、どんなことが起きても血統を重んじて皇室を支持する人たちです。7〜8割は、皇族がその役割に勤勉、献身的、熱心に取り組んでいれば、程度の差こそあれ皇室を支持します。

皇室の制度は、圧倒的多数が支持しないと不安定になります。だから皇室は自分たちの存在意義を示していかなければなりません。

それは自覚的に取り組まれていることであり、その目的を達成する手段として一所懸命に活動されているのです」

皇室報道は楽ではない。それは日本人ジャーナリストでも、外国人ジャーナリストでも変わらない。

裕仁天皇が1975年にアメリカ人記者の謁見を認めたのが唯一の例外であり、その類のことはそれ以後、一度もない。

記者会見での質問は事前提出方式であり、回答には台本がある。メディア対応は、皇族の生活のすべての側面と同じで、宮内庁が管理している。

宮内庁は保守的な機関であり、能力は凡庸なのに、偉そうに振る舞う能力だけがとりわけ発達した役人が多い。

もっとも宮内庁の上級職には、外務省など他省庁からの公務員が就いたりするので、そうした人のなかには、賢明で心の広い、礼儀正しい男性もいる（これらの職に就くのは決まって男性だ）。

私は2007年に、数週間かけて、そのうちの数名と長時間かけて話すことができた。彼らは皇室と一定の距離を保った客観的な観察者とは言えない。だが、彼らの話は、天皇と皇后の一風変わった暮らしを活写するものだった。

英紙「タイムズ」も読む天皇夫妻

明仁天皇と美智子皇后の一日は午前6時ごろの起床から始まった。テレビのニュースを見て、それから皇居内の庭園のひとつを散策する。

かつて皇居にあった宮殿は、米軍の空爆で破壊された。現在の建物は1960年代末に建てられたものだ。住人に似て洗練と品格が感じられる建物だが、ヨーロッパの宮殿のような豪華絢爛なところはいっさいない。

明仁天皇は歩いて建物の間を行き来し、雨の日には車も使った。グレーの1991年式の「ホンダ・インテグラ」を自分で運転する。皇居内の道は公道ではなく、往来もない。それでも制限速度内の走行、シートベルト着用、運転免許の更新を心がけてきたという。

宮殿は天皇が訪問客と会う場だ。総理大臣や閣僚による内奏、外国の指導者や王族との会見・引見、新任の駐日外国大使の挨拶、勲章や褒章の受章者の拝謁などが催される。

装束に着替え、宮中で皇祖である天照大御神に拝礼することも年に32回ほどあった。

夜はレセプションや晩餐会があり、一日の終わりに自然や動物のテレビ番組やビデオを見ることもある。14年前、この話を聞いたときはＶＨＳを使っているとのことだった。

その当時、皇居にはDVDプレーヤーもインターネット回線もなかった。私が話を聞いた宮内庁の上級職員は、仕事用のメールのアカウントを持っておらず、デスクにはコンピュータもなかった。

当時、侍従長だった渡邉允との連絡時には、電話を秘書に取り次いでもらっていた。渡邉より少しだけ若い男性の宮内庁職員は、個人用のメールアカウントを持っていたが、自宅でアクセスするだけだった。

とはいえ天皇夫妻は活字の熱心な読者だ。日本の新聞や雑誌のほかに、航空便によって数日遅れで皇居に届く、私が勤める英紙「タイムズ」にも目を通しているとのことだった。

ハリー王子夫妻宅の改修費より少ない予算

海に近い質素な御用邸と山にある御用邸のほかに、皇族には贅沢な静養の場がない。

天皇と内廷にある皇族の日常の費用には年間3億2400万円の予算があるが、このお金の使途はすべて記録される（ちなみに3億2400万円といえば英国のハリー王子夫妻が居住前の改修費としてフロッグモア・コテージに投じた費用を少しだけ下回る額だ）。

天皇には私有資産がなく、御用邸も国有財産だ。私が聞いた話によると、明仁天皇は日銀総裁から経済や景気動向について聞いたとき、話を遮って訝しげにこう尋ねたという。

「そのATMとは何なのですか」

天皇夫妻はめったにプライベートの社交をせず、皇居の外で接待を受けることも稀だった。

渡邉は私にこう言った。

「（プライベートの社交は）警備の都合で非常に難しいです。それから公平性の問題もあります。どうしてあの人の家に行き、別の人の家には行かないのか。そういったこともあるのでなされません」

土曜日の午前中、明仁天皇は宮内庁職員とテニスをした。近年は日曜日になると、皇居に棲息するタヌキの調査を新しい研究課題として息抜きをした。共同通信はこう報じている。

「2009年1月〜13年12月、毎週日曜午後にふんを採取し、茶こしを使って自ら洗い、中の種子などを顕微鏡で観察した」

「ワーカホリック世代」の天皇

皇族には、他国の王族が享受するような特権はほとんどない。ここが、比較される機会が多い英王室との大きな違いだ。

渡邉は私に言った。

「運がよいときは、週に1日、完全にお休みできる日があります。両陛下は、倹約につとめる真面目なワーカホリックの世代に属されています。余暇や贅沢な暮らしを、ほとんど不道徳とみなすのです。

両陛下はそのことにご不満を口にされたことはなく、その思いを人前で見せることもありません。ただ、それがお体とお心に影響を及ぼしたことは確かです」

明仁天皇もそのことについて２０１３年の誕生日の会見で触れた。

「既に80年の人生を歩み、これからの歩みという問いにやや戸惑っていますが、年齢による制約を受け入れつつ、できる限り役割を果たしていきたいと思っています。（中略）天皇という立場にあることは、孤独とも思えるものです」

「アキヒトイズム」の特徴

明仁天皇の皇室制度改革は、目立たないようにひっそりと実施された。公式な発表や発言はなかった。だが、戦前を知る者にとって、それは驚天動地だった。

とりわけ困惑したのが、天皇への忠誠心を誰よりも自負してきた人たちだった。すなわち、政治家と学者と神職とロビイストをゆるやかに束ねる極右ナショナリズムの活動家のことだ。

ケネス・ルオフという、現代の皇室を研究してきた英語圏の一級の学者がいる。ルオフが著書『国民の天皇――戦後日本の民主主義と天皇制』で「アキヒトイズム」の特徴のひとつとして挙げるのが、障がい者や恵まれない人々、被災者と身近に接し、「(日本)社会の周縁との距離を縮める努力」をしてきたことだ。

天皇夫妻は、ハンセン病療養所や高齢者の介護施設、障がい者施設を訪れた。パラリンピックも、黎明期からの名誉総裁だった。

火山の噴火や地震、津波で家を失った人のもとに行き、膝をついた。英国のダイアナ妃以後、王族がこの種の思いやりの心を示すのは紋切型となった観はあるが、よそよそしいところのあった裕仁天皇とは対照的だった。

このような慈善活動に対する極右の戸惑いもきわめて大きかった。ルオフの著書では、天皇と皇后が1995年の阪神・淡路大震災の後、被災者の肩に手をまわし、手を握ったときの評論家の江藤淳の反応が引用されている。

「何もひざまずく必要はない。被災者と同じ目線である必要もない。現行憲法上も特別な地位に立っておられる方々であってみれば、立ったままで構わない。馬上であろうと車上であろうと良いのです。国民に愛されようとする必要も一切ない」

明仁天皇と憲法の関係

江藤のような人物にとって、天皇がいい人になるのは天皇の威厳を損なうことであり、先が思いやられたのだ。

明仁天皇をめぐる皮肉な状況が、最も意味深く、最も複雑になるのは、憲法との関係においてだった。

右派の知識人や神社本庁といった団体は戦後の最初の数十年間、憲法を改正・廃止し、天皇を政治の中心に置く明治憲法を復活させる運動を起こしたが、これは失敗に終わった。

左派は、当然のごとく、この種の憲法改正案には反対だった。右派と左派が対立するのは想定どおりだったが、その対立を混乱させたのが明仁天皇の即位だった。

皇太子時代から、間接的ではあったが、つねに右派のナショナリストを突き放すのがわかる言葉遣いだったのは、その兆候だった。明仁皇太子は1974年にこう言っている。

「終戦直後よく言われた平和国家、文化国家という言葉は、私たちの世代のものには懐かしい響きがあります。これをもう一度かみしめてみたい」

１９９０年の即位の儀式は、一見したところ、守旧派の勝利だった。19世紀に作り上げられた神道の伝統に則って儀式が執りおこなわれたからだ。

だが、明仁天皇が自ら練った即位後朝見の儀での発言で、その勝利はすっかりひっくり返された。天皇は「皆さんとともに」日本国憲法を守ると語ったのだ。このときの「皆さん」は、一般の人民を意味していた。

明仁皇太子が皇位を継承した頃の日本は、豊かさでは世界第2位だった。アジアでは最も裕福な国であり、かつて暴政を敷いた国々に対し、潤沢な開発援助をおこなっていた。車やエレクトロニクス製品など日本産の一般消費者向け製品だけでなく、日本の産業技術や経営手法が海外に広まっていった。

平成は、日本の食やウイスキー、ファッション、建築、映画、テレビドラマ、小説、マンガ、ゲーム、ポップス、アート、写真といった文化的な産品が世界中に広まった時代だった。

日本の「戦後処理」は失敗した

私の祖父の世代の多くは、日本人を「残忍」な民族だとみなして疑うことがなかったが、そのような観念は、いまの西側諸国では完全に払拭されている。

いまの日本といえば、スタイリッシュで洗練され、クリエイティブでクールといったポジティブなイメージになった。

だが、東アジア諸国では、日本に対するイメージは、いまも正負の両方が併存している状態だ。中国や韓国にも、ラーメンやマンガ、ユニクロ、村上春樹が大好きで、飛行機で東京や福岡に行き、買い物や食事を楽しむ人は多い。

ただ、そういう人でも、いまの日本人が、数世代前の自分たちの家族を殺したり、レイプしたり、強制労働させたりした１９３０～40年代の日本人と基本的には同じだとみなすことに異論がない。

かつての敵国に自分たちの反省を納得してもらうという課題において、ドイツは見事に成功したが、日本は失敗したのだ。

そのことと大きく関わるのが、日本に皇室が残ったことだった。日本は１９４５～52年の占領期に根本的かつ不可逆的に変わったが、それでも戦前からの継続性は強く残った。

冷戦が激化し、１９５０年に朝鮮戦争という熱い戦争が勃発したことがきっかけで、アメリカ人が日本の保守派の中堅政治家や中堅官僚の公職追放を解除したのだ。彼らの反共の立場が、にわかに評価されるようになったわけだ。

昭和天皇の戦争責任と明仁天皇

彼らが広めた裕仁天皇の見方は、珍妙なものだった。無力な天皇は邪悪な軍人たちに人質にとられたが、最終的には英雄的に振る舞い、軍人たちに打ち勝ったというのだ。

仮に天皇が少数の君側の奸（かん）に操られた無実の被害者だったとするなら、国民の多くが自分たちも同じだと考えたくなるのも自然の流れだった。

加えて戦争を終結させた広島と長崎の未曾有の惨劇が、日本人に被害者意識を持たせることになった。そのため日本人は、自分たち一人ひとりが、消極的であれ、積極的であれ、それぞれ少しずつ戦争に加担していたということから目を背けてしまうことがあった。

映画評論家の佐藤忠男はこう書いている。

「日本の国民はなぜ裕仁氏の責任を追及しようとはしなかったのだろうか？　その理由は、彼を許すことが、国民の大多数にとって、自分自身の戦争責任を許すいちばんの近道だったからであると思う」

明仁天皇は、父親に関して一般に定着した見方に異を唱えたことは一度もない。むしろ公的な場でのこの件に関する唯一の発言では、その見方を踏襲している。

「先の大戦に至るまでの道のりが（中略）昭和天皇にとって誠に不本意な歴史であったのではないかと察しております」

明仁天皇による戦地「慰霊」の旅

だが、明仁天皇はその在位期間を通じて、戦争が都合よく忘れられがちなことに抗し、戦争の話題を蒸し返した。それは戦争を英雄的な義戦だったとみなす右派を不愉快にさせるものだった。

１９９５年、原爆投下から50年という節目の年には広島と長崎を訪問した。それは彼の父親も戦後初期にしていたことだった。

だが、明仁天皇は父親が顔を出そうと夢にも思わなかった場所にも行った。くりかえし訪れたのが沖縄だった。最激戦地のひとつであり、日本国内で唯一、多数の民間人に対する敵軍の軍事侵攻があった地だ。

１９９４年には硫黄島を訪れた。日本の守備隊の約２万１０００人のうち、わずか数百人しか生き残らなかった小さな火山島だ。

２００５年にはサイパンに行った。ここでは日本の民間人が自国の兵士に連れられ、崖から身を投げた。投降ではなく、自決を選んだのだ。

2015年にはパラオに行った。ここもグロテスクなまでに希望のない最後の戦いがあった地だ。

こうした旅の目的は、すべての戦没者に「慰霊」の祈りを捧げることだった。これには最も急進的な軍国主義者も反対できなかった。

だが、こうした旅は、実際には、戦争の最後の1年を特徴づけた殺戮（さつりく）と無駄を日本人に思い出させるものだった。明仁天皇は2015年にこう語った。

「年々、戦争を知らない世代が増加していきますが、先の戦争のことを充分に知り、考えを深めていくことが日本の将来にとって極めて大切なことと思います」

韓国・中国での「お言葉」

巡礼の旅に込められていた政治的な意図が最もはっきり表れたのは、外国の指導者と会うときだった。1990年には、訪日した韓国の盧泰愚（ノテウ）大統領にこう語った。

「我が国によってもたらされたこの不幸な時期に、貴国の人々が味わわれた苦しみを思い、私は痛惜の念を禁じえません」

2年後、中国訪問の際にはこう語った。

「両国の関係の永きにわたる歴史において、我が国が中国国民に対し多大の苦難を与えた不幸な一時期がありました。これは私の深く悲しみとするところであります」

これらの「お言葉」は、直接の謝罪とは言えなくとも、それに近いものだった。それは天皇が独力でしたことではない。宮内庁の上級職員が関与したからできたことでもない。当時の自民党政権が比較的中道寄りで国際協調路線をとっていたことの反映だった。当時の自民党は、安倍晋三前首相時代の保守的なナショナリズム政党とは大きく異なっていたのだ。

1995年、日本の降伏から50年という節目の日、社会党の首相だった村山富市が、はっきりと戦争の謝罪をした。

その後の20年間、歴代内閣は基本的には村山の談話をくりかえし、継承してきた。村山は、「国策を誤り」、「植民地支配と侵略によって、多くの国々、とりわけアジア諸国の人々に対して多大の損害と苦痛を与え」たと語った。

村山は談話でこう述べた。

「私は、未来に誤ち無からしめんとするが故に、疑うべくもないこの歴史の事実を謙虚に受け止め、ここにあらためて痛切な反省の意を表し、心からのお詫びの気持ちを表明いたします」

安倍が落とした「バトン」を拾った明仁天皇

２０１５年の戦後70周年の節目の日の前日、安倍はこの談話が過去のものだと強調した。

「隣人であるアジアの人々が歩んできた苦難の歴史を胸に刻み」、「あの戦争には何ら関わりのない、私たちの子や孫、そしてその先の世代の子供たちに、謝罪を続ける宿命を背負わせてはなりません」

その後、村山談話の重要な語句である「深い反省」に類した言葉を、安倍首相が口にすることは二度となかった。

ところが、安倍がその談話を発表した翌日、安倍が同席する場で、明仁天皇は首相が落としたバトンを拾った。毎年恒例の終戦記念日の「お言葉」で、村山談話のこの語句を初めて使ったのだ。

「ここに過去を顧み、さきの大戦に対する深い反省と共に、今後、戦争の惨禍が再び繰り返されぬことを切に願(う)」

さほど形式張っていない場で明仁天皇の政治が光ることもあった。

学校での国旗掲揚と国歌斉唱に関する東京都の決定について、園遊会で「強制になるということでないことが望ましい」と発言したのだ。

極右勢力を苛立(いらだ)たせた発言として記憶に残るのは、日韓共催サッカーW杯の前年、２０

01年の天皇誕生日の記者会見だった。日本のメディアが従順に事前提出した質問のひとつに「韓国に対し、陛下が持っておられる関心、思いなどをお聞かせください」というものがあった。

明仁天皇の答えは、衒学的で、つまらないもののように思えた。朝鮮半島の音楽や技術が日本にもたらされたことを、とりとめもなく冗漫に語ったので、それに続く話に込められた意味を見落としかねなかったほどだ。天皇はこう言ったのだ。

「私自身としては、桓武天皇の生母が百済の武寧王の子孫であると、続日本紀に記されていることに、韓国とのゆかりを感じています。武寧王は日本との関係が深く、この時以来、日本に五経博士が代々招聘されるようになりました。また、武寧王の子、聖明王は、日本に仏教を伝えたことで知られております」

「天皇主義者」でない天皇に不快感を示す天皇主義者

続日本紀は、古代の天皇の年代記だ。桓武天皇と武寧王は、それぞれ日本と韓国の古代の君主だ。冗長な歴史の話に潜められていたのは、日本民族の唯一性と純血の神話を信じる人たちへの批判だった。

日本は単に隣国から多くのものを借りただけでない。桓武天皇の生母は武寧王の子孫だったというわけだ。天皇は次のように結んだ。

「しかし、残念なことに、韓国との交流は、このような交流ばかりではありませんでした。このことを、私どもは忘れてはならないと思います」

この「お言葉」は韓国の新聞の一面を飾ったが、日本のジャーナリストは、これをどうとらえればいいのかわからず、ほとんど無視するも同然だった。だが、この「お言葉」を向けられた人たちは、その言葉の意味を完全に理解していた。

神社本庁などの団体は、それまで天皇の権威の復活を何年も訴えていた。ところが、突然、天皇が政治「利用」されていると憤り、天皇が憲法に定められた象徴としての役割を厳格に守ることを求めるようになったのだ。

彼らは天皇が天皇主義者でない事実に気づいて不快感を覚えた。だが、その不快感が直接に表明されることはなかった。天皇を崇拝する者は、定義上、自分の崇拝対象を批判できないのだ。

だから、天皇にいちばん近い人物、すなわちその妻が標的になった。

美智子妃いじめ

美智子妃いじめのゴシップのキャンペーンは、主として悪意のある雑誌記事のかたちで出た。それは結婚直後から始まったものだった。

美智子妃と姑の良子(ながこ)皇后との関係が悪かったのだ。良子皇后は、由緒ある貴族の家系の出身で貫禄があり、実業家の娘の美智子妃を見下していた。

一方、神道のエスタブリッシュメントが怒りの矛先を向けたのは、美智子妃が聖心女子学院という学費の高いカトリックの学校で教育を受けたことだった。

美智子妃は洗礼を受けていなかった。だが、美智子妃と、クエーカー教徒から教育を受けた「ジミー」明仁皇太子のふたりは、潜伏キリシタンのシンパだとの憶測も流れた。

美智子妃は1963年に心身の不調をきたしたようだ。その30年後、7ヵ月間、声を発せなくなった時期もあった。落ち着いた見目麗しい新婦が、痩身のこわばった顔つきの女性に変わっていた。

美智子皇后は70代前半の頃、記者会見でこう語ったことがある。

「私がそれをプレッシャーという一つの言葉で認識したことは無かったように思います。ただ人々の期待や要求になかなかこたえきれない自分を、悲しく申し訳なく思う気持ちはいつも私の中にあり、それは当時ばかりでなく、現在も変わることはありません」

「自分の心の中にある悲しみや不安と折り合って生きていく毎日毎日が、私にとってはかなり大きな挑戦であったと言えるかもしれません。心が悲しんでいたり不安がっているときには、対応のしようもなく、祈ったり、時に子どもっぽいおまじないの言葉をつぶやいてみたりすることもあります」

雅子妃へのプレッシャー

まるで残酷な定めであるかのように、次の世代でも不幸はくりかえされた。

日本の母親は未婚の息子が32歳になると思い悩むというが、明仁天皇の世継ぎである徳仁皇太子は、32歳で婚約内定した。

相手は小和田雅子という国際的な教育を受けた、外務省のキャリア外交官だった。皇太子のプロポーズを何度も辞退したが、皇太子妃や皇后になったほうが国に尽くす仕事ができるという議論の末に受諾したと言われている。

だが、皇室の視点では、雅子妃の知性や学歴は二次的な話だった。その主たる務めは、未来の天皇を産むことだった。

雅子妃はこの務めを果たせなかった。皇室典範では、皇位継承資格は男子のみと定められている。皇室では、数世代にわたって、統計的には信じがたいほど女子の誕生が続いてきた。男子が生まれても夭逝した。

20世紀末の時点では、１９６５年に明仁皇太子の第二子として生まれた秋篠宮親王が最後の男子だった。秋篠宮親王の２人の子供はともに女子だった。

皇位継承順位で秋篠宮親王の次に連なったのは、年配の叔父や従兄弟だった。徳仁皇太子と雅子妃の結婚から６年経っても、夫妻のあいだに子供が生まれる気配はなかった。

１９９９年には、雅子妃の流産があった。その２年後、不妊治療を経て、雅子妃は妊娠し、夫妻のあいだに最初で唯一の子供である愛子内親王が生まれた。

２００４年、こうした出来事の裏側にあった家庭内のドラマが突如、明らかにされた。雅子妃は前年末から突然、公の場に姿を見せなくなっていたが、宮内庁の説明では、これは「ストレス」と「疲れ」によるものとのことだった。

だが、実際には、雅子妃の心身が不調になっていた。徳仁皇太子は、ほとんど台本がないかのような記者会見で、雅子妃が抱える悲しみと不満を直接的に語った。その怒りは露わだった。世継ぎを産めないせいで、婚約の条件だった自由と外国旅行の生活が拒まれたのだ。

「雅子のキャリアや、そのことに基づいた雅子の人格を否定するような動きがあったことも事実です」

当時、徳仁皇太子の不満の原因は宮内庁とその職員にあるかのように思えた。だが、この件に関していろいろ話を聞いてみると、怒りの矛先は父親だったという。

英国王室とは違う日本の皇室の「弊害」

　皇太子夫妻が求めたのは、自分たちに約束されたもの、すなわち皇族として「キャリア」を築くチャンスだった。単に一連の義務を果たすことではなかったのだ。

　一方、明仁天皇は皇統の継続を、それよりもはるかに優先順位が高いとみなしていた。愛子内親王の誕生後、皇位継承の危機は、もはや無視できなかった。

　愛子内親王や未来の皇族の女子が、女性天皇として皇位を継承できるように法律を改正しようという気運が高まっていた。

　だが、2006年、秋篠宮妃が折よく男子を出産した。悠仁（ひさひと）親王だ。危機は一世代、先送りされた。世界最古の王族の未来は、いまひとりの14歳の少年の肩にかかっているのだ。

　女性の皇位継承に反対する人たちは、神話的な初代天皇のY染色体を残すため云々という正当化をするが、そんな話は馬鹿げている。そんな話を聞いたら、皇室制度自体を馬鹿げたものだと片付けたくなるだろう。

　だが、この件は、それよりはるかに重要であり、はるかに不穏なものだ。英国の王室が嘆かわしいのは、おもにそれが人を社会階級に分断し、社会を蝕むからだ。一方、日本の皇室がもたらす弊害は、それとは別種のものだ。

たしかに明仁天皇は、理想の皇室を作りあげたように見える。日本の皇室は謙虚であり、スノッブなところがなく、お金もさほどかからず、高学歴で、軍との関係もない。

だが、明仁天皇が体現した美徳、すなわち平和主義、リベラリズム、科学の尊重といったものは、別に世襲の皇室制度が支えなくてもいいものだ。そうしたものは、別の場所、すなわち議会やメディア、学界や市民社会で盛衰が決まるといっていいだろう。

明仁天皇が成し遂げられなかった「偉業」

一方、日本の皇室は、余所では生き残ることのない「ウイルス」を培養する場にもなってきた。

そのウイルスとは、迷信の信仰、自民族優越主義、それから軍事的敗北から4分の3世紀が経ったいまもちらほらと残る権威主義のことだ。

明仁天皇は憲法の範囲内にとどまる固い決意があった。だから、もしかしたら成し遂げられた偉業も、成し遂げることはなかった。その偉業とは、戦時日本の残虐行為の被害者との和解だ。

たしかに言葉はあった。だが、言葉だけでは充分でなかった。そのような言葉は、少数派である右派ナショナリストが反対すれば、無力化されてしまうからだ。

必要だったのは、身体をともなったジェスチャーだった。録画できて、何度も再生可能な、贖罪（しょくざい）の気持ちを示す視覚的な画像だ。いうなれば、ワルシャワのゲットーでひざまずいたヴィリー・ブラント（ドイツ連邦共和国の首相。１９６９～74年）のようなものだ。

明仁天皇には、そうしたことを成し遂げる可能性もあった。実際、太平洋の古戦場に行ったときには、それに近いものがあった。

だが、21世紀の西側諸国に、そのようなジェスチャーはもはや不要だった。そうしたジェスチャーに必要な意味を持たせるには、それをアジアでしなければならなかった。中国でしなければならなかった。

戦後の歴代内閣には、そのような瞬間を現実化しようとする信念もなければ胆力もなかった。明仁天皇は憲法を守ることを自分の役割と規定していたので、定義上、日本政府が一緒に動かないかぎり、憲法の外に出ることはありえなかった。

これこそ、日本の戦後75年の成功の歴史における最大の失敗のひとつだった。日本は、地理的にも、言語的にも、文化的にも最も近い国々と、いまだに和解ができていないのだ。

悲劇というべきは、もはやそれが手遅れということだ。戦争に対して個人的責任があった人たちはみな、すでに死去したか、残された命が長くない。

「調和がむずかしい」

絶好のチャンスは、戦後の最初の数年にあった。だが、日本を占領したアメリカ人たちは、皇室廃止論も、裕仁天皇が息子に譲位する議論も、すべて拒否した。だから、このチャンスはふいにされた。

2019年の明仁天皇の譲位を、いまは亡き父親を暗に非難するメッセージと読み取りたくなる人もいるだろう。

とはいえ、そんな明仁天皇でさえ、出生のパターンにまかせて、皇族が平和的に自然消滅していくことを認めようとはしなかった。

明仁天皇のいとこである寛仁(ともひと)親王がこう言ったことがある。

「皇室は、要するに何なのかと聞かれれば、よくよく考えた上での結論というのは、私たちの意味というのは、私たちが単に存在していることにある、ということです」

寛仁親王の結論では、皇族は「朝起きて、朝、昼、晩のご飯を食べて、寝る。これを一年365日繰り返す」だけで役割を果たせるとのことだった。

明仁天皇は皇太子時代、こうした役割とは別の可能性も考え、すぐにその考えを退ける発言をしている。

「立場上、ある意味ではロボットになることも必要だが、それだけであってはいけない。その調和がむずかしい」

女性皇族の苦悩
——米紙が見た「不平等」の中身

The New York Times

2020年正月の一般参賀
Photo：Carl Court/Getty Images

«Heavy Is the Burden on Japan's Royal Women»
The New York Times 21/10/24, Text by Motoko Rich and Hikari Hida
「米紙が眞子さまの“結婚騒動”について『女性皇族は日本のジェンダー不平等にさらされている』」

COURRIER JAPON 21/10/26

結婚をめぐるネット上での誹謗中傷に心を痛め、複雑性ＰＴＳＤと診断された眞子さま。米紙「ニューヨーク・タイムズ」は、女性がいまだ二級市民扱いされる日本では、とりわけ皇室の女性に対して時代錯誤で偏（かたよ）ったジェンダー観が押しつけられると報じた。その報道の内容を全訳で紹介しよう。

男性皇族には甘い世論

日本で女性として生きることが最も厳しい場所のひとつが皇室だ。

30年近く前、当時の美智子皇后は天皇の妻として至らないところがあるとバッシングされて失声症になった。

その10年後、美智子さまの義理の娘である雅子妃（現皇后）が、世継ぎとなる男子を産んでいないことをメディアからしつこく指摘された結果、うつを患って公務を控えるようになった。

そして今月、宮内庁は美智子上皇后の孫娘である眞子内親王が複雑性ＰＴＳＤ（心的外傷後ストレス障害）と診断されたと公表した。彼女が選んだ婚約者、小室圭氏を認めようとしない人々の厳しい声がやまないからだという。

診断した精神科医は会見で、眞子さまは「人間としての尊厳が踏みにじられていると感じている」と述べ、また「ご自分を価値がないものと考えるようになっている」とつけ加えた。

皇室に生まれても、結婚して皇室に入っても、女性皇族はメディアと国民からだけでなく彼らの日々の暮らしを管理する宮内庁職員からも容赦ない基準に縛られる。天皇とその家族が伝統的な日本の象徴とされるなか、女性皇族はこの国のジェンダーの不平等感が色濃く出た意見にさらされているのだ。

女性は天皇になることが許されていないにもかかわらず、女性皇族が受ける批判は、皇位継承順位に守られているとも言える男性皇族より厳しい。

「皇族としての公務に加え、美しいファッションが求められ、さらに結婚後は子供を産むことが目的とされるのです」と、立教大学教授で精神科医の香山リカは言う。

「良き母であるか？　義母との仲は良いか？　夫をきちんと支えているか？　そのように多くの仕事を完璧にこなさなくてはならない。皇室の男性がこのような厳しい目にさらされることはないでしょう」

女性は二級市民で声を上げると叩かれる

日本もゆっくりとではあるが変わってきている。事実上の次期首相を選ぶ先日の自民党総裁選では女性が2人立候補した。より多くの女性を管理職に登用しようとする企業の努力も見られる。

とはいえ、日本社会はいまだ多くの意味で、女性を二級市民として扱っている。夫婦別姓は認められず、ほとんどの女性が結婚後は夫の姓を名乗ることになる。企業幹部でも国会議員でも著名大学の教授職でも女性の割合は少ないままだ。

不平等な待遇に抗議したり平等な権利を求めて声を上げたりすれば、列を乱したとして、譴責(けんせき)されやすい。眞子さまに対してソーシャルメディアで浴びせられた非難も、性暴力被害を訴えたり職場でのハイヒール着用ルールに異議を唱えたりした女性たちに向けられた誹謗中傷と根は同じだ。

皇室の中では、女性は前近代的な価値観を忠実に守ることが期待される。

「皇室は時代の流れとは無縁で、現代社会からは隔絶されているというような考えがあります」と語るのは、君主制における女性について著作のあるマイアミ大学教授の鈴木美穂子だ。

鈴木教授によれば、伝統主義者たちは「性別による役割分担という、この古臭く、彼らにとってはより安らぐ、確固とした考え方を皇族に投影」したいのだという。

美智子さま、雅子さま、眞子さまの苦悩

第二次世界大戦後、アメリカが課した憲法のもとで、天皇は神格を失った。その後の3代にわたる女性皇族の歩みは、多くの意味で日本の進化を反映している。

国が戦争の苦い歴史から脱していくなかで、美智子さまは民間の出身として初めて皇室に嫁いだ女性となった。さらに、子供の世話を侍従に任せるのではなく、自らの手で子育てをした。夫である明仁皇太子が日本国内や海外を訪問する際は同伴し、被災者や障がい者の前で膝をついて話しかけるなど、それまで遠い存在だった皇室に人間味をもたらした。

しかし、彼女が皇居の改装をしたり、次々と違う服を着たりすると、メディアは不満顔になった。義母にあたる皇后や宮内庁が美智子さまのことを敬意に欠けると思っているとのうわさが広がった。

美智子さまの義理の娘となった雅子さまは、1993年に徳仁皇太子と結婚したとき、ハーバード大卒の外交官として輝かしいキャリアを歩んでいる最中だった。多くのコメンテーターが、彼女が古い皇室を近代化してくれるかもしれない、日本の若い働く女性たち

のロールモデルになってくれるだろうと期待した。

ところが、結婚後は雅子さまの一挙一動が出産能力に対する影響という文脈で分析された。流産を経て、ついに愛子内親王を授かったが、世継ぎとなる男子を望んでいた人たちは落胆した。宮内庁は彼女の子宮を守ろうとして外遊などを制限し、最終的に公務から退くに至った。雅子さまは、積み重なった精神的・身体的な極度の疲労に苦しんでいることを公表した。

眞子さまのケースでは、彼女は結婚と同時に皇室から離れることを余儀なくされるのに、国民の一部の層が彼女に皇族としての期待に応えてほしいと考えている。彼らは彼女が結婚相手として選んだ小室氏を激しく批判し（彼を金目当て呼ばわりする人までいる）、皇室の娘の伴侶にふさわしくないと騒ぎたてる。婚姻届が受理された瞬間に、彼女は皇族としての地位を失うにもかかわらず、だ。

「彼女の結婚相手に対し、どんな形であれ発言する権利があると思っている日本人がいることを、私はとても、とても奇妙に感じています」と、歴史家で日本の皇室に詳しいポートランド州立大学教授ケネス・ルオフは言う。

イギリス王室と比較して……

結婚の日を控えた2人は、皇室らしい華やかな儀式は行わずに婚姻届を出すだけにして、ひっそりと準備を進めているが、それでも彼らに対する攻撃はやんでいない。

先日には東京・銀座で「呪われた結婚で皇室を汚すな」などと書かれたプラカードを掲げた抗議運動が繰り広げられた。ウェブマガジン「現代ビジネス」のあるライターは、眞子さまの選択を声高に非難して、「日本の恥を国際的にさらすことになる」と書いた。

眞子さまは女性皇族の結婚時に支払われる一時金を辞退したにもかかわらず、ツイッターでは「税金泥棒」と批判する人たちがいる。さらには、彼女のＰＴＳＤはウソだという投稿まである。

今回の騒ぎをめぐっては、イギリス王室との比較が避けられないだろう。ハリー王子と結婚式を挙げる日まで、メーガン妃は家族のことで何ヵ月にもわたる攻撃を受けた。そしてメーガン妃とハリー王子がそうしたように、眞子さまと小室氏もアメリカへ逃げる予定だ。

ハリー王子もメーガン妃も、メンタルヘルスの問題に苦しんできたことを公に語っている。ハリー王子が母親であるダイアナ妃の死後、うつに陥ったことについて率直に明かす姿は、イギリスで心の病について社会で話し合う機会を促した。

日本の女性皇族もこの国でいまだデリケートな問題であるメンタルヘルスについて議論

を深める助けになっているのかもしれない。

兵庫県立大学で日本文学を教える田中キャサリン准教授は言う。

「皇室の女性たちが、メンタルヘルスに関する対話を促すために、自分の心の問題について公表してきたとは思いません。ですが、そういう問題を抱えていると公に認めたのは勇気あることだと思います」

N.D.C.291　252p　18cm
ISBN978-4-06-527484-2

講談社現代新書　2651
海外メディアは見た　不思議の国ニッポン
二〇二二年二月二〇日第一刷発行

編　者　クーリエ・ジャポン　

発行者　鈴木章一

発行所　株式会社講談社
東京都文京区音羽二丁目一二—二一　郵便番号一一二—八〇〇一
電　話　〇三—五三九五—三五二一　編集（現代新書）
〇三—五三九五—四四一五　販売
〇三—五三九五—三六一五　業務

装幀者　中島英樹

印刷所　豊国印刷株式会社

製本所　株式会社国宝社

本文データ制作　講談社デジタル製作

定価はカバーに表示してあります　Printed in Japan

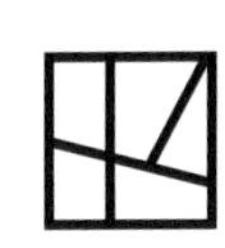

「講談社現代新書」の刊行にあたって

教養は万人が身をもって養い創造すべきものであって、一部の専門家の占有物として、ただ一方的に人々の手もとに配布され伝達されうるものではありません。

しかし、不幸にしてわが国の現状では、教養の重要な養いとなるべき書物は、ほとんど講壇からの天下りや単なる解説に終始し、知識技術を真剣に希求する青少年・学生・一般民衆の根本的な疑問や興味は、けっして十分に答えられ、解きほぐされ、手引きされることがありません。万人の内奥から発した真正の教養への芽ばえが、こうして放置され、むなしく滅びさる運命にゆだねられているのです。

このことは、中・高校だけで教育をおわる人々の成長をはばんでいるだけでなく、大学に進んだり、インテリと目されたりする人々の精神力の健康さえもむしばみ、わが国の文化の実質をまことに脆弱なものにしています。単なる博識以上の根強い思索力・判断力、および確かな技術にささえられた教養を必要とする日本の将来にとって、これは真剣に憂慮されなければならない事態であるといわなければなりません。

わたしたちの「講談社現代新書」は、この事態の克服を意図して計画されたものです。これによってわたしたちは、講壇からの天下りでもなく、単なる解説書でもない、もっぱら万人の魂に生ずる初発的かつ根本的な問題をとらえ、掘り起こし、手引きし、しかも最新の知識への展望を万人に確立させる書物を、新しく世の中に送り出したいと念願しています。

わたしたちは、創業以来民衆を対象とする啓蒙の仕事に専心してきた講談社にとって、これこそもっともふさわしい課題であり、伝統ある出版社としての義務でもあると考えているのです。

一九六四年四月　野間省一

世界の言語・文化・地理

日本語・日本文化

P